U0283022

给忙碌者的天体物理学

ASTROPHYSICS FOR PEOPLE IN A HURRY

〔美〕 尼尔·德格拉斯·泰森
Neil deGrasse Tyson 著

孙正凡 译

Beijing United Publishing Co.,Ltd.
北京联合出版公司

对那些因为太忙而没空读大部头的人来说，

仍然有一条道路可以理解宇宙。

目录

推荐序 1

———

万维钢

偶尔仰望星空的时候，你会想到什么呢？你想到了宇宙之博大和个人之渺小、想到了真理、想到了公平和正义吗？如果只想到这些，你就错过了最动人的主题。

现代天体物理学比任何文艺青年所想象的东西都要丰富很多很多倍，也精彩很多很多倍。我们赶上了一个新观测手段层出不穷、宇宙知识爆发式增长的时代。我们今天对宇宙的了解，跟一百年之前，甚至几十年之前都非常不一样。我们已经有很大的把握知道这个宇宙是怎么回事，而你也有权知道。

这本书允许你问这个宇宙是从哪里来的这种大问题，并且提供了相当可靠的答案——而你将会发现，这其实是非常幸运的事情，因为正如泰森所说，宇宙本来没有义务让我们理解。

尼尔·泰森是卡尔·萨根的传人，他是这样一本书最合适的作者。你的阅读历程将伴随着赞叹和思考，你将收获一个宇宙学的视角。

推荐序 2

———

张双南

    现代社会大家都很忙，但是又都兴趣很广，对天文宇宙的爱好几乎成了"文化人"的标识之一。然而，大部分人在学校都没有学习过天文和天体物理学，面对滚滚而来、整天刷屏的各种天文新发现的报道，很多人虽然常常不明觉厉，但是还是想知道到底是怎么回事，否则就不能愉快地和人谈论各种天文宇宙的最新话题了。系统地上天文课？太忙，没有时间！抽碎片时间系统地读天体物理的书？太折磨人了，实在是看不进去啊！这本书就是大家的福音！仅仅 12 章、6 万字，就把从宇宙诞生到寻找地外家园这些主题都说清楚了，最后还进一步引发人们对人生和宇宙的哲学思考！

　　既然大家都很忙，那么我推荐两种阅读方式：对像我这样连周末和假期都没有的读者，您可以一次读一章，花 15～20 分钟，不难吧？对于那些也非常忙，但是偶尔能够有个周末或者假期的读者，我建议您就一口气读完，这样比较过瘾！还等什么？现在就开始读吧！

推荐序 3

李淼

生活在 21 世纪开端，有时我们并不知道这个时代有多特殊。但是，只要我回想起青年时代读到的关于天文和宇宙的科普书籍，就发现在短短的三十年中，人类在理解宇宙这件事上走了多么远。

我们现在可以讲述一个几乎完整的关于宇宙的故事，这个故事既宏大又迷人。宇宙开始于一场大爆炸，之后一些元素形成了，一些恒星和星系形成了。星系中不断有新的恒星形成，有超新星爆发，甚至有黑洞互相碰撞。这是一个既神奇又可以理解的宇宙，而我们这些生活在暗淡蓝点一般的地球上的人，看起来是宇宙中的一粒尘埃，却又是能够理解宇宙的一种生命。

　　我是一口气读完尼尔·德格拉斯·泰森这本精彩的关于宇宙的书的，它本身就是一个童话一般的故事。作者本人就是一位善于在视频中讲述科学故事的人，这一次，我相信你也会一口气读完这个故事。

自序

最近几年，几乎每个星期，都会有一个值得上新闻头条的宇宙新发现。尽管这有可能是媒体把关人对宇宙产生了兴趣，不过这些新闻数量的上升更可能来自公众科学兴趣的真正提升。相关的证据有很多，从受科学启发或包含科学内容的热门电视节目，到由大牌明星主演、著名电影公司和导演拍摄的科幻影片的成功。最近，以重要的科学家为主角的传记电影已经自成流派。科学节、科幻大会和科普纪录片也在世界各地广为流行。

在这类科幻影片中票房颇高的，是由一位著名导演拍摄的，发生在绕着遥远恒星运行的一颗行星上的故事，一位著名女演员扮演的天体生物学家在电影中占据了非常重要的角色。虽然在这个时代，大多数科学分支都有长足发展，但天体物理学一直是其中的翘楚。我想我知道原因：我们每一个人在某个时间都曾仰望夜空，都想知道：这一切意味着什么？它是如何运行的？我在宇宙中处于什么位置？

如果你实在太忙了，没空通过上课、读教科书或看纪录片来理解宇宙，可你仍在寻找对这个领域简短而有意义的介绍，那么我为你提供了这本《给忙碌者的天体物理学》。在这本小书里，你将对推动当代宇宙学的所有主要思想和发现获得基础而连贯的了解。如果我讲得还不错，你就会从人文意义上通晓我的专业领域，那时你可能会渴望进一步深入了解宇宙。

宇宙没有义务让你理解。

———

尼尔·德格拉斯·泰森

01

有史以来最伟大的故事
The Greatest Story Ever Told

世界已经存在很多年了，
它一旦被设定了合适的运动，
其他的一切都随之而来。

———

卢克莱修，古罗马哲学家，约公元前 50 年起初，将近 140 亿年前，已知宇宙所有的空间、所有的物质、所有的能量，都包含在一个极小极小的尺度之内，比这句话末尾的句号的一万亿分之一还要小。

那时的温度是如此之高，自然界中描述这个宇宙的四种基础作用力还是统一的。虽然我们依然不知道它是如何出现的，但这个比针尖还要小的宇宙只能膨胀——急速膨胀。我们将其称为大爆炸。

爱因斯坦在 1916 年发表的广义相对论，为我们提供了关于引力的现代理解，即物质和能量的存在弯曲了围绕它们的空间和时间结构。在 20 世纪 20 年代，量子力学被发现，为我们提供了微观世界的现代观念：分子、原子和亚原子粒子。但是这两种对自然界的理解方式在形式上是彼此不相容的，这使得物理学家们开展了一场竞赛，要将微观理论与宏观理论融为一种内在一致的量子引力理论。虽然我们还没有达成目标，但我们知道最大的困难所在。其中之一是在早期宇宙的"普朗克时期"。那是大爆炸之后时间间隔从 $t = 0$ 到 $t = 10^{-43}$ 秒（1 秒的千亿亿亿亿分之一），并在宇宙尺度增长到 10^{-35} 米（1 米的千亿亿亿亿分之一）之前。这些难以想象的小尺度被命名为普朗克时间和普朗克长度，马克斯·普朗克（Max Planck）是德国科学家，他在 1900 年引入了量子化能量的概念，被誉为"量子力学之父"。

引力和量子力学之间的冲突对当代宇宙没有什么实际的影响。天体物理学家们把广义相对论和量子力学的原理和工具应用于不同种类的问题。但在宇宙开始的时候，也就是普朗克时期，极大也是极小，我们怀疑两者一定曾经有某种强制联姻。唉，然而我们对它们在那个仪式上交换的誓言一无所知，所以没有任何（已知的）物理定律能够描述宇宙在那个时期的行为。

尽管如此，我们预计在普朗克时期结束时，其他三种自然力仍然统一，引力逐渐分离出来，成为我们目前的理论可以很好地描述的独立作用力。随着时间达到 10^{-35} 秒，宇宙继续膨胀，稀释了所有曾集中的能量，刚才还保持统一的作用力分裂成"弱电力"和"强核力"。后来弱电力分裂成电磁力和"弱核力"，从而使得我们已经能够认识到的四种作用力显露了出来：决定放射性衰变的弱核力，把原子核束缚起来的强核力，使得分子结合在一起的电磁力，把大团物质聚集在一起的引力。

-

从宇宙诞生开始，至此过去了万亿分之一秒。

-

在那段时间，以亚原子粒子的形式存在的物质，与以光子的形式存在的能量（光子既是粒子又是波）之间的相互作用持续不断。那时的宇宙温度足够高，这些光子会自发地把它们的能量转

换为物质 - 反物质粒子对，紧接着又彼此湮灭，把能量重新转换为光子对。是的，反物质是真实的，我们已经发现了它，这并不是科幻作家的想象。这种能量和物质之间的转换完全遵守爱因斯坦最著名的质能方程：$E=mc^2$，它既可以用来算你的能量"值"多少物质，也能用来算你的物质"值"多少能量。方程里 c^2 是光速的平方，它是个巨大的数字，用它乘以质量，让我们知道在这个"运算"中我们可以获得多么巨大的能量。

在强核力和弱电力分道扬镳之前、之中、之后这段极短的时间里，宇宙变成了由夸克、轻子和它们的反物质兄弟——还有承担它们相互作用力的玻色子——共同组成的一大锅沸汤。这些粒子家族每一类都有好几个变种，但它们都被认为无法再分割成更小或更基本的粒子了。普通的光子是玻色子家族的一员。对于非物理学家来说最熟悉的轻子就是电子，可能还有中微子。至于最熟悉的夸克……好吧，没有你们熟悉的夸克。夸克一共有六种，每一种都被赋予了一个抽象的名称，这些名字不具有真正的语言学、哲学，或教育学的目的，只是为了区别彼此：上夸克和下夸克、奇异夸克和粲夸克、顶夸克和底夸克。

玻色子，顺便说一下，是根据印度科学家萨特延德拉·纳特·玻色而命名的。"轻子"这个词来源于希腊文 *leptos*，意思是"轻"或"小"。然而"夸克"这个名字则有一个颇具文学色彩也更富想象力的起源。物理学家莫瑞·盖尔曼在 1964 年提出存在夸克，它们是中子和质子的内部成分，他当时认为夸克家族只有三名成员，所以从詹姆斯·乔伊斯的小说《芬尼根的守灵夜》里一句含义出名模糊的句子"向麦克老人三呼夸克"（Three quarks for Muster Mark）借用了夸克（quark）这个词。这些夸克有一个共同的特征：它们的名字都特别简单——这似乎是当化学家、生物学家，特别是地质学家在给他们自己的研究对象命名时无法做到的事情。

夸克是古怪的野兽。它们跟质子和电子有个不同的性质，每个质子拥有 +1 电荷，电子拥有的电荷为 −1，可是夸克具有的电荷为分数——只能是 1/3 或 2/3。而且你永远不可能抓住一个单独的夸克，它总是跟附近的其他夸克抱成团。事实上，你把两个或更多个夸克分开的距离越远，把它们束缚在一起的力量也会随之增强——它们就像是被原子核内的某种橡皮筋拴在一起。夸克被分离得足够远时，橡皮筋断裂，原本储存的能量会"召唤"质能方程 $E=mc^2$ 在橡皮筋两端各产生一个新的夸克，把你又带回到了起点。

在夸克 - 轻子时代，宇宙是足够致密的，不相连的夸克之间的平均距离，足以与相连夸克之间的距离相比。在这种情况下，相邻夸克之间无法建立明确的忠诚关系，它们在彼此之间自由地移动，尽管总的来说仍然彼此束缚在一起。这种好像夸克汤一样的物质状态，是 2002 年由纽约长岛布鲁克海文国家实验室的物理学家们发现的。

强有力的理论证据表明，在极早期宇宙中的一段时间，某种作用力分离之时，赋予了宇宙一种非同寻常的不对称性，其中物质粒子的数量略微超过反物质粒子：比例为十亿零一比十亿。即使那时有人的话，也不会注意到夸克和反夸克、电子和反电子（更常用的名字是正电子）、中微子和反中微子在连续创造、湮灭和再制造过程中产生的如此之小的数量差异。一个人有大把机会找一个"反物质人"彼此湮灭，其他的人也都是如此。

但不久之后就不一样了。随着宇宙的不断膨胀并且冷却，宇宙增长到大于我们的太阳系尺度时，温度已经迅速下降到 1 万亿开尔文[1]以下。

---

1 开尔文(Kelvin)，热力学温标或称绝对温标，用符号 K 表示。每变化 1K 相当于变化 1℃，与摄氏度计算起点不同，开尔文是以绝对零度作为计算起点，即 −273.15℃ ＝ 0K。——译注（如无特别标注，文中注释均为原作者注。）

—

现在，百万分之一秒过去了。

—

在这个不温不火的时期，宇宙的温度和密度没有那么高了，不足以"煮"夸克汤了，所以它们都抓住了身边跳舞的伙伴，创造了一个永久性的重粒子新家族，称为强子（hadron，来自希腊文 hadros，意思是"厚"）。这种从夸克到强子的转变很快形成了质子和中子，以及其他不为人所熟悉的重粒子，它们都是由各类夸克的彼此组合形成的。在瑞士（我们回到地球上来）欧洲核子研究组织（更广为人知的是其缩写 CERN）用一台大型加速器使强子束发生碰撞，试图重新创造这些极端条件。这个世界上最大的机器便被顺理成章地叫作"大型强子对撞机"。

夸克 - 轻子汤里令人困扰的微小的"物质 -

反物质不对称性"如今传递到了强子中，但产生了非凡的后果。

随着宇宙继续冷却，可供自发产生基本粒子的能量在减少。在强子时代，环境中的光子因为没有足够的能量，不能再根据质能公式 $E=mc^2$ 来制造夸克 - 反夸克对。不仅如此，从仍存在的正反物质湮灭中产生的光子，也由于宇宙的不断膨胀而在损失能量，降到了产生强子 - 反强子对所需的能量门槛之下。每 10 亿次的粒子湮灭（由此留下 10 亿个光子）才会有一个强子幸存。那些孤独的幸存者最终将笑到最后：它们是产生星系、恒星、行星和牵牛花的终极物质来源。

如果没有在物质和反物质之间十亿零一与十亿的不平衡，宇宙中的所有物质都将自我湮灭，留下一个由光子组成的宇宙，没有别的——永远是"要有光，就有光"的景象。

现在，一秒钟的时间已经过去了。

-

宇宙尺度已经增长到了几光年（1光年是光在1地球年里传播的距离，约10万亿千米），大约相当于从太阳到离它最近的恒星的距离。此时温度为10亿开尔文，仍然是非常之热——仍然能够"煮"电子以及与其对应的正电子，电子-正电子继续玩着跳出来又消失的游戏。但在不断膨胀、不断冷却的宇宙里，它们的日子（说真的，是秒数）已经在倒计时了。夸克的命运，强子的命运，也将成为电子的命运：最终只有十亿分之一幸存下来。其他的电子都和它们的反物质伙伴儿发生湮灭，融入了光子的海洋。

就在现在，每个质子对应一个电子已经被"冻结"成为现实。随着宇宙继续降温，降到1亿开尔文以下时，质子与质子当然还有中子发生融合形成原子核，孵化出一个婴儿宇宙，其中 90% 的原子核是氢，10% 是氦，还有痕量的氘（重氢）、氚（超重氢）和锂。

-

从宇宙诞生开始，已经过去了两分钟。

-

接下来 38 万年里，我们的粒子汤里没有发生什么新鲜事。在这漫长的时光里，宇宙温度仍然足够高，高能电子可以自由地在光子之间漫游，就像来回击球一样不断地吸收和发射光子，发生相互作用。

但是，当宇宙温度低于 3000 开尔文（大约是太阳表面温度的一半）时，这种自由自在就戛然而止了，所有的自由电子都跟原子核发生了结合。它们的联姻留下了无处不在的可见光，不仅为那一刻天空中的所有物质留下了永远的印记，也宣告了原初宇宙粒子和原子的形成过程已经完成。

*　　*　　*　　*　　*　　*　　*

在第一个 10 亿年里，宇宙继续膨胀并冷却，这时物质因为引力作用聚集成团，形成了我们所称的星系，数量近 1000 亿。每个星系都含有几千亿颗恒星，恒星核心发生着热核聚变。那些质量超过太阳数十倍的恒星，其核心具有足够高的压力和温度，从而制造了比氢要重的几十种元素，正是基于这些元素，才构成了行星，为生命勃发提供了场所。

如果这些元素停留在它们形成的地方，那它们将毫无用处。不过，大质量恒星会发生不可预料的大爆炸，把元素种类丰富的内核抛撒到整个星系，这种重元素丰度（数量密度）增加的过程，称为增丰。这样的增丰过程持续 90 亿年之后，在宇宙的一个平凡角落（室女超星系团的外围），一个平凡的星系（银河系）中，一块平凡的区域（猎户旋臂）上，一颗平凡的恒星（太阳）诞生了。

从其中形成太阳的气体云包含了足够多的重元素，凝聚生成了一系列相互绕转的天体，其中包括几颗岩石行星和气态行星、数以万计的小行星和数十亿颗彗星。在最初的几亿年里，在轨道上残留的横冲直撞的大量碎片被吸积到更大的天体上。这是以高速、高能撞击的形式发生的，从而熔化了岩石行星的表面，阻止了复杂分子的形成。

随着在太阳系中留下来的可吸积物质越来越少，行星表面开始冷却。我们称之为地球的这颗行星形成于太阳周围的"金发女孩区域"[1]，这里的海洋主要以液态形式存在。如果地球离太阳更近，海洋就会被蒸发掉；如果地球离得更远，海洋就会结冰。无论哪种情况，我们所知道的生命

1　Goldilocks zone，出自童话《金发姑娘和三只熊》，形容不多不少，不冷不热，刚刚好。——译注

都不会诞生。

在富含化学物质的液态海洋中，通过一种尚未发现的机制，有机分子转变为可自我复制的生命。在这个原始汤中占主导地位的是简单的厌氧菌——在无氧环境中繁衍的生命，但会排泄出作为副产物的氧气。这些早期的单细胞生命体不知不觉地将地球上富含二氧化碳的大气层转化为富含氧气的环境，使需氧生物体能够出现并主宰海洋和陆地。相同的氧原子通常以氧气（O_2）的形式成对出现，也能在大气层高处形成臭氧（O_3）层，它就像盾牌一样吸收了阳光中大部分紫外光子，从而保护地球的表面不受其伤害——紫外线能破坏分子结构。我们把令人惊奇的生命多样性归功于地球，当然我们假设在宇宙其他地方也有丰富的碳，也有无数含碳的简单或复杂的分子。毫无疑问：碳基分子的复杂多样要远超其他元素组合出来的分子结构。

但生命是脆弱的。地球偶尔会与个头较大又任性的彗星和小行星相撞，这种事件在历史上很常见，足以毁掉我们的生态系统。仅仅6500万年前（距离我们的时间不到地球历史的2%），一颗百亿吨的小行星撞击了现在墨西哥的尤卡坦半岛，抹杀了超过70%的地球动植物种类——包括所有著名的超级恐龙。这次大灭绝使我们的哺乳动物祖先能够填补新的空缺，而不是继续充当霸王龙的开胃小菜。这些哺乳动物中一个脑袋很大的分支，我们称之为灵长类，其中一个属种（智人）拥有了足够的智慧来发明科学的方法和工具——去推断宇宙的起源和演化。

在这一切之前发生了什么？在开始之前发生了什么？

天体物理学家不知道。或者，我们最有创意的想法在实验科学看来几乎或者完全缺乏基础。一些宗教人士用一种带有正义色彩的断言作为回应，认为这一切必须有某种东西作为启动：一种比其他所有力量都要大的力量，一个一切问题的源头，一个原动力。当然，在这样的人士心目中，某种东西就是上帝。

但是，会不会宇宙是永恒的存在，只是它的状态我们尚未认识到呢——比如，它是一个不断诞生宇宙的多重宇宙？或者，如果宇宙仅仅是从一无所有中冒出来的呢？或者，如果我们所知道和热爱的一切都只是一个具有超级智慧的外星物种为了好玩而做的计算机模拟游戏呢？

这些哲学上有趣的想法通常满足不了任何人。然而，它们总能提醒我们："不知道"才是科学家的自然心态。那些相信自己无所不知的人，既没有寻找更没有看过宇宙中已知和未知的界限。

我们所知道的是，我们可以毫不犹豫地断言的是，宇宙有一个开始。宇宙在继续演化。而且，是的，我们身体里的每一个原子都可以追溯到宇宙大爆炸，以及50多亿年前发生爆炸的大质量恒星里的核聚变。

我们是获得了生命的星尘，然后被宇宙赋予了发现自我的使命——而我们的旅程才刚刚开始。

02

在地如在天
On Earth as in the Heavens

在艾萨克·牛顿爵士写下万有引力定律之前，没有人曾根据任何理由推测出我们身边的物理定律和宇宙中其他地方的是一样的。地球上一直发生的是尘世之事，而天上发生的是天界之事。根据那时基督教的教义，上帝控制诸天，我们卑微凡人的思维无法触及它们。当牛顿提出所有运动都是可理解的、可预测的，从而突破这一哲学障碍时，一些神学家批评他没有留下什么事情给造物主做。牛顿已经想通了，果园里使成熟苹果落下的引力，也同样让被扔出的物体沿着曲线路径运动，还让月亮在轨道上围绕地球转动。牛顿的万有引力定律也同样引导行星、小行星和彗星绕太阳公转，使上千亿颗恒星在银河系内的轨道上转动。

不是别的，正是这种物理定律的普适性驱使着科学发现。引力只是一个开端。想象一下19世纪天文学家们用实验室里的棱镜去观察太阳光，看到棱镜将光束分解成光谱时的那种激动。光谱不仅是美丽的，而且含有发光对象的大量信息，包括其温度和成分。通过光谱里的亮线或暗线可以揭示物质元素的存在。让人们高兴和惊奇的是，太阳物质的化学特征和实验室物质的特征是一样的。棱镜不再是化学家的专用工具，它证明，虽然太阳的大小、质量、温度、位置和外观与地球并不相同，不过两者都含有同样的物质：氢、碳、氧、氮、钙、铁等。但比两者的共享成分清单更重要的是，科学家们认识到在太阳上形成这些光谱特征的物理学定律，跟在1.5亿千米之外的地球上起作用的定律是一样的。

这种普适性的概念被成功地逆向运用，而且成果丰硕。对太阳光谱的进一步分析揭示了太阳光谱中存在一种元素，其特征在地球上没有已知的对应物。作为来自太阳的新物质，它被赋予了一个从希腊文 *helios*（太阳）拼出的名字，这就是氦（Helium），后来这种元素才在实验室里被发现。因此，氦成为元素周期表里第一个也是唯一在地球以外被发现的元素。

OK，物理定律在太阳系中有效，但它们在银河系中还有效吗？整个宇宙？穿越时空呢？一步一步地，物理定律接受了检验。附近的恒星被证明也由我们熟悉的物质构成。遥远的双星在相互绕转的轨道上，似乎也知道牛顿引力定律的一切。同理，两个星系组成的系统也是如此。

就像地质学家可以把沉积的地层作为地球历史事件的时间线，我们在太空中看到的距离越远，我们看到过去的时间就越长。宇宙中最遥远天体的光谱显示了与我们在近处空间和时间里看到的相同的化学特征。实际上，在过去重元素比较少——它们主要是在后来几代爆炸的恒星里制造出来的——但描述原子和分子是如何产生这些光谱特征的定律是原封不动的。特别是，有一个被称为"精细结构常数"的物理量——它控制着每个元素的基本光谱特征，必定是在数十亿年间保持不变的。

当然，并非宇宙中所有事物和现象在地球上都有对应物。你可能从来没有穿越过一团温度百万开尔文的发光等离子体，而且我敢打赌，你从来没有在街上迎面遇到过一个黑洞。重要的是描述它们的物理定律具有普适性。当光谱分析被第一次应用于恒星际星云发出的光时，再一次，在光谱当中发现的一个特征并没有在地球上找到对应物。当时元素周期表明显没有给这个新元素留下合适的位置。作为回应，天体物理学家们发明了氫（nebulium）这个名字占位，直到他们能够弄清楚到底发生了什么。事实证明，在太空中，气态星云是如此之稀薄，以至于原子在没有碰撞的情况下可以跑很远。在这些条件下，电子可以做到在地球实验室中原子内从未见过的一些事情。氫只是普通氧元素在星云环境里表现出的非同反响的特征而已，在地球实验室环境下通常是不可能发生的。

这一物理定律的普适性告诉我们，如果我们降落在另一个拥有繁荣文明的外星球上，它们将按照我们在地球这里发现和检验过的同样的定律运行——即使外星人怀有不同的社会和政治信仰。此外，如果你想和外星人交谈，你可以肯定他们不会说英语、法语，甚至中文。你也不知道跟他们握手——如果他们伸出的肢体确实是一只手——会被视为战争还是和平行为。你最大的希望是找到一种使用科学语言进行交流的方法。

这种尝试被用在了 20 世纪 70 年代的先驱者 10 号和 11 号、旅行者 1 号和 2 号上。这四艘航天器当时都带上了足够的能量（核动力电池），希望在巨行星引力弹弓效应的帮助下，最终彻底逃离太阳系。

先驱者号上带了一张蚀刻金盘，用科学象形图显示了我们太阳系的布局、我们在银河系的位置，以及氢原子的结构。旅行者号更进一步，还携带一张包含来自地球母亲的不同声音的金质唱片，包括人类心跳、鲸"歌"和来自世界各地的音乐精选，包括贝多芬和摇滚明星查克·贝里（Chuck Berry）的作品。虽然这种信息适合人类聆听，但现在还不清楚外星人的耳朵是否会知道他们在听什么——首先要假设他们有耳朵。我最喜欢的桥段是，在旅行者号发射后不久，在美国国家广播公司（NBC）的《星期六夜现场》滑稽短剧中，他们出示了发现宇宙飞船的外星人的回信，信纸上只写着"再多发点查克·莓果[1]"。

科学的繁荣不仅在于物理定律的普适性，也体现在物理常数的存在和持久性上。万有引力常量，经常被科学家亲切地称为"大G"（big G），它就为牛顿的引力方程提供了引力常量大小的测量值。这个量已经默默地接受了亿万年物转星移的检验。如果你做相关计算，你可以确定恒星发光和大G的关系非常紧密。换言之，如果大G在过去稍稍有所不同，那么太阳能量输出的变化就会比任何生物、气候或地质记录显示的变化要大得多。

---

1 这个段子的笑点在于 Chuck Berry 名字中的 Berry 也有莓果的意思，外星人误以为这是一种吃的。——译注

这就是我们宇宙的统一性。

*　　*　　*　　*　　*　　*　　*

在所有的常量中，光速是最著名的。不管你走得多快，你永远也不会超过一束光。为什么不行呢？从来没有任何实验曾显示任何形式的物体达到过光速。经过无数次检验的物理学定律预测并解释了这一事实。我知道这听起来显得很保守。过去一些最低级的科学断言低估了发明家和工程师的聪明才智，比如"我们永远不会飞起来""飞行将永远不具有商业可行性""我们永远无法分裂原子""我们永远无法打破音障""我们永远到不了月球"。但它们的共同点是，没有既定的物理定律支持这些说法。

"我们永远不会超越一束光"这一说法是一个性质完全不同的预测。它遵循了基本的、经过时间考验的物理原则。未来的星际旅行者将有理由读到这样的路标：

> **光速：**
> **这不只是一个好主意，**
> **更是定律。**

    不同于在地球上被抓住违法超速才会被开罚单，物理定律相比于法律的好处是，它们不需要执法机构来维护，因为你根本无法违反它，虽然我曾经有一件极客范儿 T 恤衫上写着"服从引力"（OBEY GRAVITY）。

    所有的测量都表明已知的基本常数以及引用它们的物理定律，既不依赖时间，也不依赖位置。它们是真正的恒定和统一的。

*   *   *   *   *   *   *

    许多自然现象表现为多种物理定律在起作用。这一事实常常使分析复杂化，在大多数情况下，需要高性能的计算机来算出正在发生什么，并跟踪重要参数。当舒梅克 - 利维 9 号彗星在 1994 年 7 月高速冲进木星浓厚的大气层然后爆炸时，对这场爆炸制作的最精确的计算机模型结合了各种物理定律：流体力学、热力学、运动学和万有引力定律。气候和天气代表了另一方面的例子——复杂（和极难预言的）现象。但是约束它们的基本定律仍然在起作用。木星大红斑是已经肆虐了至少 350 年的强气旋，驱动它的是与地球上和太阳系其他地方产生风暴的相同的物理过程。

另一类普遍真理是守恒定律，其中某些测量量在任何情况下都保持不变。最重要的三个是质量和能量的守恒、线性动量和角动量的守恒，以及电荷的守恒。这些定律的证据既存在于地球上，也存在于我们已经想到和看到的任何地方——从粒子物理微观领域到宇宙大尺度结构这样的宇观结构。

尽管有这么多引以为傲的成果，但我们对宇宙的了解也不是完美无缺的。我们无法看到、触摸或感受到我们在宇宙中测量到的 85% 的引力来源。神秘的暗物质，除了它对我们可见物质的引力，仍未被真正探测到，它可能是由我们尚未发现或识别的奇异粒子组成。然而，少数天体物理学家并不同意，而且认为并不存在暗物质——你只需要修改牛顿万有引力定律，他们认为简单地在方程中加入一些成分，一切都会解决的。

也许有一天我们会知道，牛顿的万有引力定律确实需要调整。那没关系，这事儿已经发生过一次了。爱因斯坦在 1916 年发表的广义相对论在某种方式上扩展了牛顿的引力定律，从而使之也适用于极大质量的物体。牛顿本人的万有引力定律在这个扩展后的领域中失效了，这是他当时所不知道的领域。我们由此得到的教训是，我们对定律的信心，取决于测试和验证条件的范围。适用的范围越广，定律在描述宇宙时就越有说服力和解释力。对于日常所见的一般引力条件，牛顿定律是很有效的。它在 1969 年把我们带到月球上，并安全地返回地球。对于黑洞和宇宙大尺度结构，我们需要广义相对论。如果你把低质量和低速度代入爱因斯坦的方程式，它们实际上（或者更确切地说是在数学上）又变成了牛顿方程——在我们对已有定律的持续理解中，我们对物理定律普适性的信心又进一步增强了。

*　　　*　　　*　　　*　　　*　　　*　　　*

对科学家来说，物理定律的普适性使宇宙成为一个出奇简单的所在。相比之下，人性——心理的领域——是无限而不可捉摸的。在美国，地方学校的董事会就在课堂上讲授的科目进行投票。在某些情况下，选票是根据文化、政治或宗教潮流的一时冲动而投下的。在世界各地，不同的信仰体系会导致政治上的差异，而这些分歧并非总能和平解决。物理定律的力量和美在于它们无处不在，无论你是否选择相信它们。

换句话说，除了物理定律之外，其他的都只

是个人观点。

不是科学家们不争论。我们也争论，有很多争论。但当我们这样做时，我们通常表达的是一些最前沿的观点，这些观点通常涉及对不充分数据的解读。无论何时何地，只要讨论中能够援引物理定律，那么这时的辩论保证是简短的：不对，你关于永动机的想法永远无效，它违反了久经考验的热力学定律；不行，你无法建造时间机器让你回到你出生之前杀死你的母亲，这违反因果律；如果不违反动量定律，无论是否坐在莲花台上，你都不能无缘无故地悬浮在地面之上[1]。

在某些情况下，关于物理定律的知识可以让你有信心面对粗暴无礼的人。几年前，我在加州帕萨迪纳（加州理工学院所在地）一家甜品店要了一杯热可可，当然是加掼奶油的。当可可送到餐桌上来时，我却看不到奶油的痕迹。当我告诉

---

1 原则上，如果你因为肠胃胀气而放出的废气足够强大而且源源不断的话，是可以完成这个特殊才艺表演的。

服务员我的可可没加奶油时，他一口咬定我看不到是因为奶油沉到了杯底。但是，掼奶油的密度很低，会漂浮在人们喝的所有饮料之上。所以我给侍者两个可能的解释：要么有人忘了给我的热可可加掼奶油，要么是在他的餐馆里有另外一套物理学普适定律。他不服气，挑衅地拿来了一块掼奶油，以证明他的断言。结果奶油上下摇晃了几下，就上升到可可上面，稳稳地漂浮着。

你还需要什么更好的证据来证明物理定律的普适性吗？

03

要有光
Let There Be Light

大爆炸之后，宇宙的主要议程是膨胀，原本在空间中集聚的能量被不断稀释。随着时间的推移，宇宙变得越来越大、温度越来越低、亮度越来越暗。此时物质和能量以一种不透明汤的形式共存，其中电子不断与无处不在的光子发生散射。

38 万年里，事情一直这样进行着。

在这个宇宙早期时代，光子运动不了多远就会撞到电子。在那时候，如果你的任务是看到广袤的宇宙，你根本就看不到。你会发现任何光子都在碰到你 1 纳秒或 1 皮秒之前就被电子撞飞了[1]。因为携带信息的光子到达你的眼睛之前走过的最大距离极其之短，你往任何方向看去，整个宇宙都只是一团不透明的浓雾。太阳和其他恒星内部也是如此。

随着温度的下降，粒子的移动速度越来

1　1 纳秒是 1 秒的十亿分之一，1 皮秒是 1 秒的一万亿分之一。

慢。就在那时，当宇宙的温度第一次降到炽热的3000开尔文以下时，电子的速度就会减慢，刚好可以被路过的质子捕获，从而将完整的原子带入这个世界。这使以前被骚扰的光子获得自由，得以在没有间断的路径上穿越宇宙。

这个"宇宙背景"是热烈耀眼的早期宇宙残余光的化身，而宇宙背景的温度，可以从主要的光子在哪一个光谱波段推断出来。随着宇宙继续冷却，在光谱的可见光部分的光子，因为宇宙不断膨胀而逐渐失去能量，变成了红外光子。虽然那些可见光光子变得越来越弱，但仍然以光子的形式存在。

在光谱中，红外光之下是什么波段呢？从光子获得自由以来到现在，宇宙尺度已经膨胀了1000倍，因此，宇宙背景也相应地冷却到当时温度的1/1000。所有可见光光子已经降至那个时代能量的1/1000。它们现在是微波，因此我们现在给它取了一个名号叫作"宇宙微波背景"（cosmic microwave background，简写为CMB）。它将在微波波段保持 500 亿年，那之后的天体物理学家们将会叫它为"宇宙射电波背景"（cosmic radiowave background）。

当物体被加热时，它会在光谱的所有波段都辐射光，但这种辐射总会在某个特定能段处产生峰值。对于仍然使用发光金属丝的家用电灯，灯泡发光的峰值在红外线波段。人眼并不能看见红外线，而只有感受到落在皮肤上的热量时，我们的感官才能觉察到它。所以，这份最大的能量辐射恰恰是白炽灯泡作为可见光光源的低效之处。先进照明技术带来的 LED 革命创造了纯净的可见光，而不在看不见的波段部分浪费电力。这就是为什么你可以在灯泡包装上看到似乎疯狂的句子"7 瓦 LED 相当于 60 瓦白炽灯"。

作为曾经发光极亮东西的残余物，CMB 的光谱形状符合我们对正在冷却的发光体的预期：

尽管它的峰值在光谱某个波段，但在光谱其他部分仍有辐射。在这种情况下，除了峰值处的微波，CMB 也发射一些射电波和越来越少的微量高能光子。

在 20 世纪中期，宇宙学这个分支还没有多少数据。在数据稀少的地方，充满智慧和希望的相互竞争的理念就会蓬勃发展。20 世纪 40 年代，俄裔美国物理学家乔治·伽莫夫（George Gamow）和同事们预测了 CMB 的存在。这些想法的基础来自比利时物理学家兼牧师乔治·勒梅特（Georges Lemaître）在 1927 年的工作，他被公认为"大爆炸宇宙学理论之父"。但正是美国物理学家拉尔夫·阿尔弗（Ralph Alpher）和罗伯特·赫尔曼（Robert Herman）在 1948 年首次估计了宇宙背景温度应该是多少。他们的计算基于三个基础：（1）爱因斯坦在 1916 年发表的广义相对论；（2）埃德温·哈勃在 1929 年发现的宇宙膨胀；（3）此前在实验室里以及在"二战"

期间制造原子弹的曼哈顿计划发展出来的原子物理学。

赫尔曼和阿尔弗当时计算和提出的宇宙温度为 5K。嗯，现在看来这明显是错误的。这些微波的精确测量温度是 2.725K，有时写为 2.7K，如果你不乐意写小数，把宇宙的温度四舍五入写成 3K 也可以。

让我们暂停片刻。赫尔曼和阿尔弗把从实验室里刚刚得到的原子物理学，应用于早期宇宙中的假想环境当中。由此，他们向后推演数十亿年，计算出宇宙今天应该是什么温度。他们的预测与正确答案相差很小，这是人类洞察力的惊人胜利——他们原本的计算结果可能会误差十倍百倍，甚至预测到根本不存在的东西。在评论这一壮举时，美国天体物理学家 J. 理查德·戈特（J. Richard Gott）指出："预测宇宙背景的存在，然后得到的温度误差在两倍以内，就像预测一个直径 15 米的飞碟将降落在白宫草坪上，实际是来了一个 8 米的。"

*　　　*　　　*　　　*　　　*　　　*　　　*

第一次对宇宙微波背景的直接探测是在
1964 年，由贝尔电话实验室研究部门的美国物
理学家阿诺·彭齐亚斯（Arno Penzias）和罗伯
特·威尔逊（Robert Wilson）无意中进行的。在
20 世纪 60 年代，每个人都知道微波，但几乎没
有人拥有探测它们的技术。贝尔实验室是通信行
业的先驱，它为这个目的研制了一种结实的喇叭
形天线。

但首先，如果你要发送或接收信号，你不希
望有太多的干扰源。彭齐亚斯和威尔逊试图测量
干扰他们接收机的背景微波，从而利用这个光谱
波段进行干净无噪声的通信。他们不是宇宙学家。
他们是建造微波接收机的技术奇才，他们也不知
道伽莫夫、赫尔曼和阿尔弗的预测。

彭齐亚斯和威尔逊显然不是在寻找宇宙微波

背景，他们只是试图为美国电话电报公司打开一个新的通信渠道。

彭齐亚斯和威尔逊进行了实验，并从他们的数据中减去所有他们可以识别的、来自地球和宇宙的已知干扰源，但其中一部分信号总是存在，而他们就是找不到消除它的方法。最后，他们检查了喇叭形天线的内部，看到有鸽子在那里筑巢。

因此，他们担心"一种白色的介电物质"（鸽子粪便）可能是与此信号有关，因为无论探测器指向何方，他们总能检测到它。在清洗了"介电物质"后，干扰略有下降，但残留的信号仍然存在。他们在1965年发表的论文就是关于这种无法解释的"多余的天线温度"。

与此同时，由罗伯特·狄克（Robert Dicke）率领的普林斯顿大学一组物理学家正在建造专门用于寻找CMB的探测器。但是他们没有贝尔实验室的资源，所以他们的工作慢了点。当狄克和他同事们听说彭齐亚斯和威尔逊的工作时，普林斯顿团队完全了解他们观察到的多余的天线温度是什么。一切都吻合，特别是温度本身，以及信号来自天空的各个方向。

1978 年，彭齐亚斯和威尔逊因为他们的发现获得了诺贝尔奖。2006 年，美国天体物理学家约翰·C. 马瑟（John C. Mather）和乔治·F. 斯穆特（George F. Smoot）又因为在更宽的光谱范围之上观测到了 CMB，把宇宙学从聪明的、不成熟且尚未经受检验的想法，带入到精确的实验科学范畴而分享了诺贝尔奖。

*　　*　　*　　*　　*　　*　　*

因为光从宇宙遥远的地方到达我们这里需要时间，如果我们向太空深处眺望，实际上是在从时间上往回看。因此，如果我们的目光能够看到很远很远某个星系的智慧生物正在测量宇宙背景辐射的温度，那么他们得到的读数应该远高于 2.7K，因为他们是生活在一个更年轻、更小，也比我们更热的宇宙。

实际上，你可以实测来检验这个假设。分子氰（一种碳氮化合物，分子式为 CN，曾经用作处决杀人犯的毒气）暴露在微波下会被激发。如果过去微波比我们现在的 CMB 更热，它们就会使这种分子激发到更高能量。在大爆炸模型中，遥远的年轻星系中的氰，与我们银河系里的相比，沐浴在更温暖的宇宙背景中。这正是我们所观察到的。

这种情况是编造不出来的。

为什么这些事情如此有趣？宇宙直到大爆炸后 38 万年都是不透明的，所以即使你一直坐在前排中央座位上，你也不可能看到物质的形成。你不可能看到星系团和宇宙巨洞从哪里开始形成。只有当作为信息载体的光子开始能够在整个宇宙中畅通无阻地旅行，我们才能够看见宇宙发生的某些事情。

每个光子跨越宇宙之旅开始的地方，是撞击到曾经阻碍它的最后一个电子之处——这被称为"最后散射点"。随着越来越多的光子逃离碰撞，它们形成了一个不断膨胀的"最后散射面"，深度约 12 万光年。这个面也是宇宙中所有原子诞生之处：电子与原子核结合，释放出的能量以光子的形式奔向浩渺的红色远方。

此时，宇宙中的一些区域已经开始通过它们的引力相互吸引，聚集成团。与其他那些尚未开始聚集的区域相比，光子通过与这些区域中的电子最后散射，从而使得区域温度相对略低。在物质积聚的地方，引力增强，使得越来越多的物质聚集起来。这些区域成为形成未来超星系团的种子，而其他区域则相对较空。

当你详细地绘制宇宙微波背景时，你会发现它不是完全平滑的。与平均值相比，有些斑点略热，有些斑点则稍冷。通过研究 CMB 温度各处的差异——也就是说，通过研究最后散射面中的模式——我们可以推断出在早期宇宙中物质的结构和成分。为了弄清星系、星系团和超星系团是如何产生的，CMB 是我们最好的探针，它是信息丰富的时间胶囊，使天体物理学家能够反过来重建宇宙的历史。研究它的模式某种程度上就像在做宇宙"颅相学"，因为我们现在就在分析婴儿宇宙的头骨上的"凸起"。

当受到其他各种观测资料的限制时，CMB 能够使你解码宇宙各种基本性质的信息。比较冷热区域的大小和温度分布，你可以推断出当时的引力强弱，以及物质积累的速度有多快，同时让你推断出宇宙中存在多少普通物质、暗物质和暗能量。从这里，就可以直接判断宇宙是否会永远膨胀。

*　　　*　　　*　　　*　　　*　　　*　　　*

普通物质就是构成我们自身的物质。它有引力，能与光相互作用。暗物质是一种神秘物质，它具有引力，但不以任何已知方式与光发生相互作用。暗能量是在宇宙真空中存在的神秘压力，它的作用方向与引力相反，迫使宇宙膨胀速度比没有它时变得更快。

宇宙"颅相学"检验让我们知道宇宙是如何演化的，但宇宙大部分是由那些我们一无所知的东西组成的。尽管今天我们还有大量的未知领域，但跟以往不同的是，宇宙学还是有可靠的科学依据的，因为 CMB 揭示了宇宙早期曾经走过的那扇门。在那个时间点上发生了有趣的物理过程，我们已经了解了在光子获得自由之前和之后的宇宙状况。

宇宙微波背景这个简单的发现，使宇宙学超越了神话猜想。而且正是对宇宙微波背景准确而详细的测量使宇宙学变成了现代科学。宇宙学家们相当自负，如果你的工作是推断"是什么让宇宙得以存在"，你怎么会不自负呢？但如果没有数据，他们的解释只是假设。现在，每一次新的观察，每一点数据，都挥舞着一把双刃剑：它使宇宙学得以在享有其他科学成果的基础之上蓬勃发展，但它也会筛选在数据缺乏时期提出来的学说，指出哪些是对的，哪些是错的。

任何学科只有经历了这个过程，才会发展成熟。

04

在星系之间
Between the Galaxies

在宇宙组成的宏大统计中，星系显然是被计算在内的。最新的估计表明，可观测宇宙中可能包含 1000 亿个星系。明亮美丽，密布繁星，星系装饰着黑暗的虚空，如夜间广袤国土上的城市。但太空的空究竟有多空？（城市之间的乡野有多空旷？）仅仅因为星系光彩夺目，就让我们相信其他的东西都不重要吗？不然。宇宙星系之间仍然可能隐藏着难以探测的东西。也许那些东西比星系本身更有趣，或者对宇宙演化来说比星系更为重要。

我们自己的旋涡星系——银河系，在地球上抬眼望去，形状就像泼洒在夜空中的牛奶。事实上，银河系（galaxy）这个词便来源于希腊文"奶水状的"（galaxias）。离我们最近的一对星系邻居（有 60 万光年远），形状都是既小又不规则。费迪南德·麦哲伦在 1519 年那次著名的环球航行的船长日志里记录下了这两个天体。为了纪念这位探险家，我们称它们为大、小麦哲伦星云，它们主要是在南半球可看见，就像是繁星密布的天空上的一对云斑。比我们银河系要大的最近的星系位于 200 万光年之外，比构成仙女座的那些恒星距离要更远。这个旋涡星系在历史上被称为仙女大星云，在某种程度上说是银河系的一个更大、更明亮的孪生兄弟。请注意，以上每个星系的英文名称，最初都没有指出其中存在恒星：银河、麦哲伦星云、仙女大星云。这三个名字都来自望远镜发明之前，那时我们还未能分辨出来它们是由恒星组成的。

*　　　*　　　*　　　*　　　*　　　*　　　*

如第 9 章我们将要详述的，如果不是受益于那些在多个光谱波段运行的望远镜，我们可能仍然会宣称星系之间的太空里空无一物。在现代探测器和现代理论的帮助下，我们探索了我们的宇宙乡村，揭示了各种难以捉摸的东西：矮星系、速逃星（迅速离开恒星诞生区的年轻恒星）、即将爆炸的速逃星、温度高达百万开尔文发射X射线的气体、暗物质、微弱的蓝色星系、无处不在的气体云、超高能带电粒子，以及神秘的量子真空能。有了这样一个列表，人们可以说，宇宙中所有的乐趣都发生在星系之间，而不是它们的内部。

在所有曾被可靠地调查过的空间区域里，矮星系的数量要比大星系多得多，比例超过10比1。在20世纪80年代初，我写的第一篇关于宇宙的文章名为《银河系和七个小矮人》，指的是银河系附近矮小的家庭成员。从那时起，本地矮星系的总数已经从七个增加到了几十个。虽然正统的星系含有数千亿颗恒星，但矮星系里恒星数量少到只有100万，也就是说它们被探测到的难度要大十万倍。这也就难怪它们仍然陆续在我们的眼皮底下被不断发现。

不再产生恒星的矮星系图像看起来像是烦人的微小污迹。那些仍在形成恒星的矮星系都是不规则形状的,坦率地说,看起来很对不起观众。矮星系有三个特点让你很难注意到它们:它们很小,所以当壮观的旋涡星系争夺你的注意力时,它们很容易被忽略;它们很暗,因此在许多星系巡天中由于在预期光度水平之下而被忽略;它们内部的恒星密度很低,所以与地球夜间大气层和其他周围的发光源相比,它们对比度很差。这一切都是真的。但是,由于矮星系的数量远超过"正常"星系,也许我们关于"正常"的定义需要修正。

你会发现大多数(已知的)矮星系游荡在更大的星系附近,就像卫星一样绕着大星系转。两个麦哲伦星云是银河系的矮星系家族的一部分。但卫星星系的命运可能是相当危险的。大多数计算机模型显示,它们的轨道会逐渐衰减,最终导致不幸的矮星系被撕裂,然后被主星系吃掉。在过去的十亿年中,银河系至少参与了一次这类"同类相食"行为,当它吃下了那个矮星系的时候，被消解的残骸可以被看成是在轨道上绕银河系中心旋转的一股恒星流，即位于人马座远方的群星。该系统被称为人马矮星系，但可能更应该称之为银河系的一顿"午餐"。

在星系团的高密度环境中，两个或两个以上的大星系经常发生碰撞，留下的是一场大混乱：旋涡结构被扭曲到无法识别，由于气体云的猛烈碰撞而新爆发出许多恒星形成区，还有刚刚逃离了两个星系引力的成千上万的星星四处散落。一些恒星重新组合成可以称为矮星系的斑点。其他恒星仍在漂流。大约10%的大星系都显示存在与另一大星系的引力碰撞的证据——在星系团中这一比例可能会高出5倍。

有这么多的混乱，有多少星系残骸渗入了星系际空间，特别是在星系团之内？没有人确切知道。测量是非常困难的，因为孤立的恒星太暗无法单独探测到。我们必须依靠探测所有恒星的星光联合形成的微光才能发现它们。事实上，对星系团的观测发现了存在于星系之间的这类光晕，这表明在那些星系之间可能有许多无家可归的流浪恒星，而且可能与星系本身的恒星数量一样多。

为这项讨论增添新料的是，我们发现了（并不是刻意寻找的）有超过一打超新星爆炸是远离我们曾推测的"宿主"星系的。在普通星系中，对于每颗以这种方式爆炸的恒星来说，都相应有 10 万到 100 万颗恒星不是如此表现的，所以孤立的超新星可能暴露了一大类尚未被发现的恒星。超新星是把自己炸成碎片的恒星，在这个过程中，它们的光度暂时（超过几周时间里）会增加 10 亿倍，使它们在整个宇宙中都可见。虽然十几个无家可归的超新星是一个相对较小的数字，但可能尚待发现的还有很多，因为大多数超新星搜索系统监测的是已知星系，而不是太空里的空旷之地。

*　　　*　　　*　　　*　　　*　　　*　　　*

对于星系团来说，包含的内容还不止它们的成员星系和那些任性的流浪恒星。灵敏的 X 射线望远镜的测量结果显示，星系团之内的空间充满了温度高达数千万开尔文的气体。这种气体是如此炽热，以至于它们发出了强烈的 X 射线。富含气体的星系在运动中通过这种介质之后，自身拥有的气体被剥离，迫使它们丧失产生新恒星的能力。这可以解释 X 射线望远镜的观测结果。但是当你计算这种被加热的气体呈现的总质量时，它超过了大多数星系团中全部星系质量总和的十倍之多。更糟糕的是，星系团里暗物质泛滥成灾，暗物质的质量碰巧又比星系团自身的其他一切质量大十倍！换言之，如果望远镜观测到的是质量而不是光，那么我们所珍视的团内星系就会表现为在巨大的引力球中微不足道的亮点。

在太空其他地方，在星系团之外，有一大类星系在很久以前就兴旺了。正如之前指出的，观看宇宙类似于地质学家查看纵深的沉积地层，展现在视野中的是岩石形成历史。宇宙中的距离是如此之大，以至于光到达我们经历的时间可以是几百万甚至数十亿年。当宇宙是它的当前年龄的一半时，一类非常蓝且非常暗淡的中等尺度星系繁荣起来。我们能看到它们。它们的光从很久以前传来，代表了非常非常遥远的星系。它们的蓝色光辉来自刚形成的大质量、高温度、高亮度、短寿命的恒星。那些星系之所以暗淡微弱，不仅因为它们距离遥远，而且因为它们内部明亮恒星的密度很稀薄。就像曾经存在又消失的恐龙，留下了鸟类作为它们仅有的现代后裔，那些微弱的蓝色星系已经不复存在，但据推测在今天的宇宙中仍有类似的天体。它们的那些恒星都燃烧完了吗？它们是否已成为散落在整个宇宙中的无形尸体？它们演化成了我们今天熟悉的矮星系了吗？还是它们都被更大的星系吃掉了？我们不知道。但它们在宇宙历史的时间线上的位置是确定的。

既然大星系之间还有这么多东西，我们就会想，其中一些肯定会挡住我们看向宇宙更远处的视线。这是一个关于宇宙中最遥远天体的问题，比如类星体。类星体是超级明亮的星系核，它的光在到达我们的望远镜之前一般已经在太空中穿行了数十亿年。作为非常遥远的光源，它们是探测类星体与我们之间是否存在中间天体的理想实验品。

果然，当你把类星体的光分解成它的成分颜色，揭示出光谱，就会发现，这里面充满了星系际气体云存在的证据。每一个已知的类星体，无论它在天空的什么位置被发现，都显示了散落在漫长时空里的几十个孤立氢云的特征。这种独特的星系际天体类型是在 20 世纪 80 年代首次被确认的，并且至今仍是天体物理学研究的活跃领域。它们从哪里来？它们包含多少质量？

已知的每个类星体都揭示了这些氢云的特征，所以我们得出结论，氢云在宇宙中无处不在。而且，正如所料，类星体越远，光谱中就会出现更多的氢云。一些探测到的氢云（少于百分之一）只是我们的视线经过的普通旋涡星系或不规则星系中所含的气体。当然，你会料到至少有一些类星体会位于那些太遥远而无法探测到的普通星系的后面，但其余的吸收体明确无误地是又一类宇宙天体。

同时，类星体的光通常经过的太空区域也包含巨大的引力源，会对类星体的形象造成灾难性破坏。这些引力源往往很难被发现，因为它们可能是普通物质组成的，只是太暗也太遥远了，不过它们也可能是暗物质区域，比如位于星系团中心和周围的那些。无论是哪种情况，哪里有质量，哪里就有引力。根据爱因斯坦的广义相对论，有引力的地方就有弯曲的空间。空间弯曲的地方，就类似玻璃透镜，会改变穿过其中的光的路径。事实上，遥远的类星体或整个星系都能够被那些碰巧位于地球望远镜视线上的天体形成"透镜效应"。根据那些"透镜"本身的质量和视线方向上的几何形状不同，透镜效应可以放大、扭曲，甚至将背景光源分成多个图像，就像玩哈哈镜一样。

宇宙中（已知）最遥远的天体之一不是类星体，而是一个普通的星系，它微弱的光被相关的引力透镜显著地放大了。我们今后可能需要依靠这些"星系际望远镜"来观测普通望远镜无法触及的地方，从而发现宇宙中更加遥远的天体。

* * * * * * *

星系际空间虽然是很吸引人的所在，但是如

果你选择去那里，那对你的健康而言是非常危险的。让我们忽略因为你温暖的身体试图与3K的宇宙温度达到平衡而把你冻死的事实，让我们忽略由于缺乏大气压力会导致你窒息、血细胞爆裂的事实。这些都是很普通的危险。从非寻常角度来说，星系际空间经常被超级高能、超高速的带电亚原子粒子穿透。我们称它们为宇宙射线。其中最高能粒子携带的能量是世界上最大的粒子加速器所能产生能量的1亿倍。它们的起源仍然是一个谜，但这些带电粒子的大部分是质子，即氢的原子核，并以99.99999999999999999%的光速移动。值得注意的是，这些亚原子粒子单个个体携带的能量就足够从球场中任何地方把高尔夫球打进洞中。

也许，星系之间（也包括之中）的真空里最奇异的事情是，它是虚粒子的沸腾海洋——无法探测的物质和反物质对突然出现又消失。这一奇特的量子物理学预言被称为"真空能量"，它表现为向外的压力，作用与引力相反，在完全没有物质的情况下也依然蓬勃发展。正在加速的宇宙（暗能量能力的展现），可能就是被这种真空能量驱动的。

是的，星系际空间是，并且将永远是个热闹的所在。

05

暗物质
Dark Matter

引力是我们最熟悉的自然力，它同时为我们提供了自然界中最容易理解的和最难以理解的现象。它让千年以来最聪明也最有影响力的人艾萨克·牛顿认识到，引力神秘的"超距作用"产生于每一点物质的自然效应，这种任何两个物体之间的吸引力可以用一个简单的代数方程来描述。20世纪最杰出、最有影响力的人爱因斯坦认识到，并且证明，我们可以把描述引力的"超距作用"更准确地描述为：由物质和能量任意组合所产生的时空结构中的弯曲。

爱因斯坦证明牛顿的理论需要一些修改才能准确地描述引力——例如，当光线经过一个巨大的天体时会产生多大的弯曲。虽然爱因斯坦的方程比牛顿的更为精致，不过它们都很好地容纳了我们所认识和热爱的日常物质，也就是我们可以看到、触摸、感受、嗅闻，并且偶尔品尝的那些物质。

我们不知道这个天才序列里的下一个是谁，

但将近一个世纪之后，我们如今在等某人来告诉我们，为什么我们在宇宙中测量到的大部分引力（大约85%），产生于并不与"我们的"物质或能量发生相互作用的物质或能量。也有可能，那些多余的引力根本不是来自物质和能量，而是表现为其他某种概念性的东西。无论是何种情况，我们基本上都是一无所知。我们发现，关于这个"失踪的质量"问题，比起1937年它第一次被美国籍瑞士天体物理学家弗里茨·兹威基（Fritz Zwicky）全面分析时，我们今天并没有更接近答案。兹威基在加州理工学院任教超过40年，他这个人能用丰富多彩的表达方式把他对宇宙深刻的洞察表现出来，不过同时，他与同事交恶的能力也令人印象深刻。

兹威基研究了一个庞大星系团中那些单个星系的运动，这个星系团要比我们银河系本地的恒星远得多，位于后发座方向（这个星座的意思是古埃及"伯伦尼斯王后的头发"）。我们称之为后发星系团，它是一个成员极多的孤立的星系集合体，离地球大约 3 亿光年。它的上千个星系环绕着星系团的中心运行，就像蜜蜂簇拥着蜂巢一样在各个方向运动。利用几十个星系的运动作为将整个星系团结合起来的引力场的示踪物，兹威基发现其中星系的平均速度大得惊人。由于更大的引力会导致被它们吸引的物体具有更高的速度，兹威基推断出后发星系团具有巨大的质量。作为对该估计真实性的检查，你可以把所看到的每个成员星系的质量加起来。即使后发星系团位居宇宙中最大规模的星系团之列，它也没有足够多的可见星系来解释兹威基观察和测量到的巨大速度。

这情况有多糟？我们已知的万有引力定律让我们失望了吗？当然，它在太阳系中肯定有效。牛顿已经证明，你可以推导出，跟太阳在某个距离上保持稳定轨道的行星，必须具有一个特定的速度，否则它就会落向太阳或者上升到更远的轨道上。计算表明，如果我们把地球当前的轨道速度增加 $\sqrt{2}$（1.4142……）倍，我们这个行星就达到了"逃逸速度"，就会彻底离开太阳系。我们可以将同样的推理应用于更大的系统，比如我们的银河系，作为对来自所有其他恒星引力的反应，星系里的恒星各自在其轨道上运动；或者在星系团中，每个星系同样感受到其他星系的引力。在这种精神感召下，爱因斯坦在他写满公式的笔记本的一页上，写了一首赞颂艾萨克·牛顿的押韵诗（在德语中韵律感更强）：

仰望星辰探真理，

大师思想传我辈。

繁星点点默无言，

但循牛顿理论行。

（*Look unto the stars to teach us*
How the master's thoughts can reach us
Each one follows Newton's math
Silently along its path）

当我们依此检验后发星系团时，正如兹威基在 20 世纪 30 年代所做的那样，我们发现它的成员星系运动速度比星系团的逃逸速度更快。这个星系团早就应该迅速分解了，几百万年之后，它那密如蜂巢的结构就不会留下一丝痕迹。但是这个星系团已经有 100 多亿年的历史了，几乎和宇宙本身一样古老。如此一来，就诞生了天体物理学中至今最长久的未解之谜。

*　　　*　　　*　　　*　　　*　　　*　　　*

在兹威基完成这项工作之后的几十年里，其他星系团里也发现了同样的问题，所以后发星系团不能被认为是个例。那么我们应该责备什么或怪罪谁呢？牛顿？我不会的，起码现在不会。现在他的理论已经被检验 250 年了，而且通过了所有的测试。爱因斯坦？不会。星系团的引力虽然难对付，但仍然不够强，不需要动用广义相对论的大锤，而且当兹威基做研究时，广义相对论才发表了 20 年。可能束缚后发星系团所需的"失踪的质量"确实存在，只是以某种未知的、不可见的形式存在。今天，我们已经给它取了"暗物质"这一名号，这个名字没有断言任何东西是缺失的，但仍然暗示必然存在某种新型物质，尚待被发现。

当天体物理学家们已经开始接受星系团中神秘的暗物质之时，它又一次抬起了它隐形的脑袋。1976 年，如今已辞世的薇拉·鲁宾（Vera Rubin）当时是华盛顿卡内基研究所的天体物理学家，她在旋涡星系中发现了类似的质量异常。在研究恒星环绕星系中心的速度时，鲁宾首先发现的是符合她所期望的东西：在每个星系的可见盘中，离中心较远的恒星比离中心较近的恒星的速度要快。对于较远的恒星，在它们自身与星系中心之间有更多物质（恒星和气体），使它们具有更快的轨道速度。然而，在星系的发光盘之外，人们仍然可以找到一些孤立的气体云和明亮的恒星。利用这些天体作为星系最明亮区域之外的引力场的示踪物，在可见物质不再增加的那些区域，鲁宾发现它们的轨道速度本应该随着距离的增加而下降的，但实际上仍然很快。

这些太空区域——每个星系的偏远地区——大部分是空无一物，这些地方含有太少的可见物质，无法解释示踪体异常的高轨道速度。鲁宾正确地推断，在每个旋涡星系远远超出可见边缘的那些遥远区域，必须存在某种形式的暗物质。多亏鲁宾的工作，我们现在称这些神秘地带为"暗物质晕"。

这个晕的问题就存在于我们的眼皮底下，就在银河系中。从星系到星系，从星系团到星系团，天体可见物部分的质量估算值与同一天体整体引力范围内的质量估算值之间的差异，从几倍到几百倍不等。在整个宇宙中，这一差异的平均值为6倍，即宇宙里暗物质的引力大约是所有可见物质总引力的6倍。

进一步的研究表明，暗物质不可能是由发光较少或不发光的普通物质组成。这一结论取决于两条推理。首先，我们可以用近乎肯定的方法消除所有看似熟悉的候选者，就像警察让嫌疑犯列队接受辨认一样。暗物质能在黑洞中存在吗？不，我们认为我们会从黑洞对附近恒星的引力效应中发现那些黑洞。可能是黑色星云吗？不，它们会吸收星光，或以其他方式与来自它们身后的星光相互作用，真正的暗物质不会发生这样的情况。它可能是星际（或星系际）的流浪行星、小行星和彗星吗？所有这些天体都不会自己发光。很难相信宇宙制造的行星在质量上是恒星的 6 倍多。那将意味着星系中每颗恒星都有 6000 颗木星，或者更糟的是，有 200 万颗地球。例如，在我们自己的太阳系中，太阳以外所有的东西加起来还不到太阳质量的千分之二。

对于暗物质的奇异性质，更直接的证据来自

宇宙中氢和氦的相对量。这些数字一起提供了早期宇宙留下的宇宙指纹。与事实非常接近的是，大爆炸后的前几分钟的核合成，导致了每10个氢核（它们本身就是质子）就有一个氦核。计算表明，如果大部分暗物质参与了核合成，那么相对于氢，宇宙中应该会有更多的氦。由此我们得出结论，大部分的暗物质（也就是宇宙中的大多数）并不参与核聚变，这就表明它并不具有"普通物质"的资格，普通物质本质在于能够参与原子力和核力作用，从而形成我们所知道的物质。对宇宙微波背景的详细观测能够对这个结论进行独立检验，证实了这个结论：暗物质和核合成无关。

因此，正如我们所能理解的那样，暗物质并不是碰巧由黑暗物质构成的那么简单。相反，它完全是另一种东西。暗物质遵守与普通物质一样的引力规律，对普通物质存在引力，但它并没有能让我们探测到它的其他作用。当然，由于我们并不知道暗物质是什么，这一点妨碍了我们的分析。如果所有的质量都对应有引力，那么所有的引力都对应有质量吗？我们不知道。也许对物质来说这样没有错，但对引力我们还并不理解。

*　　　*　　　*　　　*　　　*　　　*　　　*

不同天体环境里，暗物质和普通物质之间的比例变化很大，在星系和星系团这样的大型天体中是最为明显的。对于最小的天体，如卫星和行星，并不存在物质和引力间的差异。例如，地球表面的引力可以完全由我们脚下的东西来解释。如果你在地球上超重，不要责怪暗物质。暗物质既不影响月球绕地球公转的轨道，也不影响太阳周围行星的运动——但正如我们已经看到的，我们确实需要它来解释星系中心周围恒星的运动。

在星系尺度上是否存在不同的引力机制？可

能不是。更可能的是，暗物质是由我们尚未探测到其本质的物质组成，它比普通物质更分散。否则，我们将探测到分布在宇宙间的由暗物质聚集成的大块引力团——如暗物质彗星、暗物质行星、暗物质星系。据我们目前所知，事情不是这样的。

我们知道的是，我们在宇宙中所爱的东西——组成恒星、行星和生命的物质——只是宇宙这块蛋糕上薄薄的一层糖霜，是在浩瀚的却又看似什么都没有的宇宙海洋里漂浮着的一些微小浮标。

*　　　*　　　*　　　*　　　*　　　*　　　*

在大爆炸后的前 50 万年——仅仅是在 140 亿年宇宙历史中的短暂一瞬，宇宙中的物质已经开始凝聚成为将会发育成星系团和超星系团的小团块。但在接下来的 50 万年里，宇宙的尺度将会翻番，而后还将继续增长。决定宇宙发展可能性的是两个相互竞争的效应：引力想使物质凝聚，但膨胀试图稀释它。如果你做下计算，你会很快发现，以普通物质自身的引力无法赢得这场战斗。它需要暗物质的帮助，没有暗物质我们就会生活在——实际上我们就不可能活着——一个没有任何结构的宇宙里：没有星系团，没有星系，没有恒星，没有行星，也没有人。

我们需要多少来自暗物质的引力？是相当于普通物质本身所提供的 6 倍。正好就是我们在宇宙中测量到的数量。这一分析并没有告诉我们暗物质是什么，只有暗物质的效应是真实的，而且，无论如何，你都无法把它归于普通物质。

*　　*　　*　　*　　*　　*　　*

所以暗物质跟我们亦敌亦友。我们不知道它是什么。有点烦人。但在计算中我们迫切需要它才能得出对于宇宙的准确描述。当我们的推断必须基于我们不理解的概念时，科学家通常是不舒服的，但是如果我们不得不这样做的时候，我们就必须这样做。暗物质不是我们试图驾驭的第一匹野马。例如，在19世纪，科学家们测量了太阳的能量输出，并证明了它对我们的季节和气候的影响，而这远在任何人知道太阳能量是由核聚变产生的之前。现在看起来很可笑，但当时最好的想法是，太阳是一大块燃烧的煤炭。也是在19世纪，我们观测恒星时获得了它们的光谱，并对它们进行了分类，这也远在20世纪量子物理学产生之前，后来量子物理才让我们了解了这些光谱的本质，为什么它们看起来是这样的。

无情的怀疑论者可能会把暗物质假设与19世纪提出、如今已经被否定的"以太"做对比，"以太"是光在其中运动的、充满真空的、没有质量的透明介质。直到1887年由凯斯西储大学的阿尔伯特·迈克尔逊（Albert Michelson）和爱德华·莫雷（Edward Morley）在美国克利夫兰市做的一个著名实验给出否定结果之前，科学家们都断言以太必定存在，即使没有一丝一毫的证据支持这一假设。科学家们当时认为光是一种波，需要通过一种介质来传播光的能量，就像声音需要空气或其他材料来传播它的声波。但是后来证明光可以很愉快地穿过太空里的真空，不需要用任何媒介来承载它。与由空气振动形成的声波不同，光波是自我传播的能量包，不需要任何帮手。

我们对暗物质的无知与对以太的无知是有根本区别的。以太是因不能理解光的传播而想象出来的一种"占位符"，而暗物质的存在并非来自单纯的推测，而是来自观察到的它的引力对可见物质的实际效应。我们不是凭空发明暗物质的，相反，我们从观察事实推断出了它的存在。暗物质就跟那些围绕着另外一颗"太阳"运行的系外行星一样真实，它们也仅仅是通过对它们的宿主恒星的引力影响而不是从对它们光线的直接观测中发现的。

可能发生的最糟糕的情况是，我们发现暗物质根本不包括物质，而是其他东西。我们是看到了来自另一个维度的力的影响吗？我们是否感觉到了与我们相邻的幽灵宇宙中的物质引力穿过了宇宙膜？如果是这样，我们所在的宇宙可能只是组成"多重宇宙"的无数个宇宙之一。听起来异想天开而且难以置信。但这比第一次提出地球是绕着太阳转的还要疯狂吗？比起太阳只是银河系中上千亿颗恒星之一呢？或者是银河系是宇宙中千亿个星系之一呢？

即使这些幻想式的解释中的任何一个被证明是正确的，也不会改变我们如今成功地使用暗物质的引力来理解宇宙形成和演化这一事实。

其他怀疑论者可能会宣称"眼见为实"——这种生活态度在许多方面都行之有效，包括机械工程、捕鱼，也许还有约会。但它并不是好的科学思路。科学不只是要看到，它是关于测量的，最好是用一些不是你自己眼睛的东西去测量，因为眼睛所见无法摆脱脑中的包袱。而这些包袱往往是一大堆先入为主的观念、僵化的成见和彻头彻尾的偏见。

*   *   *   *   *   *   *

虽然自暗物质的概念提出八十多年以来我们在地球上无法实现直接探测暗物质，但暗物质一直在发挥作用。粒子物理学家相信暗物质是由一类幽灵般的未被发现的粒子组成的，它们与物质通过引力发生相互作用，但在其他方面与物质或光的相互作用非常弱或根本不发生作用。如果你喜欢在物理上赌博，暗物质一定是个很好的下注项目。世界上最大的粒子加速器正试图在粒子碰撞的碎片中制造暗物质粒子。还有特别设计的深埋地下的实验室，正被动地探测来自太空的暗物质粒子。之所以选址于地下，是因为大地可以自然地屏蔽那些已知的宇宙粒子，防止它们进入探测器而被误认为是暗物质。

也许上面这些举措是空忙一场，但"暗物质是一种难以找到的粒子"这个想法还是很值得我们去验证的。对中微子的预测和发现就是一个很好的例子，尽管中微子与普通物质的相互作用非常微弱。来自太阳的中微子的量相当大，在发生核聚变的太阳核心里，每由氢合成一个氦核，就释放出两个中微子，中微子毫无阻碍地逃逸出太阳，在太空的真空里以接近光速穿行，然后就像地球根本不存在一样穿过地球。根据计算，无论白天还是晚上，每一秒钟你身体上的每一平方厘米都有 1000 亿个来自太阳的中微子穿过，但根本不会与你身体的原子发生相互作用。尽管如此不可捉摸，但在特殊情形下，中微子仍然是可以被阻止的。如果你阻止了一个粒子，就说明你已经探测到它了。

暗物质粒子可以通过类似的极其罕见的相互

作用来显示其存在，或者，更令人惊奇的是，它们可能表现为除了强核力、弱核力和电磁力以外的一种力。刚才说过的这三种力，再加上引力，就是宇宙中的四种基本力，能协调所有已知粒子之间的相互作用。所以，情况很明确，等待我们的，要么是通过暗物质粒子的相互作用去发现和控制一种或一类新的作用力，要么就是暗物质跟普通物质也存在相互作用力，只是强度弱得惊人。

因此，暗物质的效应是真实存在的。我们只是不知道暗物质是什么。暗物质似乎不通过强核力相互作用，所以它不能形成原子核。它还没有被发现通过弱核力进行相互作用，而甚至是难以捉摸的中微子也存在弱相互作用。它似乎并没有与电磁力相互作用，所以它不会产生分子，也不会聚集成致密的暗物质球。它既不吸收、发射光，也不反射或散射光。正如我们从一开始就知道的，暗物质确实会施加引力，而普通物质对此会产生响应。但仅此而已。经过这么多年，我们还没有发现它能做什么别的事情。

　　现在，我们只能满足于把暗物质作为一个陌生的、隐形的朋友来对待，在宇宙需要我们召唤它的时候请它施以援手。

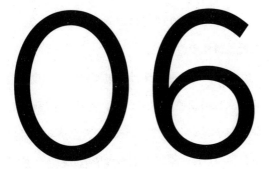

06

暗能量
Dark Energy

宇宙中有一件事似乎没有引起你足够的担心，近几十年来，天文学家们发现宇宙存在一种神秘的压力，它来自太空里的真空中，其表现与宇宙引力作用相反。不仅如此，这种"反引力"最终将赢得这场宇宙拔河大战，因为未来它会迫使宇宙膨胀以指数形式加速。

对于这种 20 世纪物理学中最烧脑的思想，要怪就得怪爱因斯坦。

爱因斯坦几乎从未涉足过实验室，他没有检验什么现象或使用精密设备。他是一个理论家，他完善了科学上的"思想实验"。思想实验是用想象参与自然，通过发明一种情境或模型，然后找出一些物理原理的因果关系。

正如爱因斯坦的例子一样，如果物理学家的模型试图代表整个宇宙，那么操纵模型就等于操纵宇宙本身。观测学者们和实验学者们可以到真实宇宙中去寻找该模型预测的现象。如果模型是有缺陷的，或者理论家在他们的计算中犯了错误，观测学者们将发现该模型的预测和现实世界事物运行的方式不匹配。这是对理论科学家的提示，告诉他们要么调整旧模型，要么创建一个新模型。

爱因斯坦的广义相对论，是最强大和应用范围最广的理论模型之一——在你更好地了解它之后，你可以称之为 GR（General Relativity）。广义相对论发表于 1916 年，它描述了宇宙万物在引力作用下运动的数学细节。每隔几年，实验科学家们就会设计出更多的精密实验来测试这个理论，只是为了进一步扩大理论精确性的范围。这一振聋发聩的理论的最新例证出现在 2016 年，当时引力波被专门为它设计的天文台[1]直接探测到。这些引力波正如爱因斯坦所预言，以光速在时空结构中传播，是由类似两个黑洞碰撞那样严

---

1 激光干涉仪引力波天文台（LIGO）。LIGO 由两台相同的探测仪组成，分别位于相距 3000 千米的美国华盛顿州的汉德福和路易斯安那州的利文斯顿。

重的引力扰动引起的。

被探测到的正是这样的扰动。第一次发现的引力波是由13亿光年远的两个黑洞碰撞而产生，碰撞发生时，地球上还是单细胞生物的天下。当引力波的涟漪向各个方向荡漾开去的时候，又经过了8亿年，地球上才进化出复杂的生命，包括花朵、恐龙和飞行生物，还有一个叫作哺乳动物的脊椎动物分支。在哺乳动物中，又有一个分支进化出了额叶和复杂的思想，其被称为灵长类动物。灵长类动物的一个分支将会发生一种促使语言产生的基因突变，而那个分支——智人——将发明农业、文明、哲学、艺术和科学。所有这些都在过去的1万年里发生。最终智人里一位20世纪的科学家将从他的大脑中发明相对论，并预言引力波的存在。整整一个世纪之后，在宇宙中旅行了13亿年的引力波，终于到达了地球，并被人类的科学技术成功地捕获。百年前的预言终于被证实。

没错，爱因斯坦就是这样一个猛人！

*　　　*　　　*　　　*　　　*　　　*　　　*

大多数科学模型在第一次被提出时，往往是不完善的，会留调整空间以更好地适应已知的宇宙。在 16 世纪数学家尼古拉斯·哥白尼所设想的"日心说"宇宙模型中，行星在完美的圆圈上绕日运行。"绕日运行"这部分是正确的，并且是在"地心说"宇宙模型基础之上的重大进展，但"完美的圆圈"后来被证明有所偏差——所有行星都在环绕太阳的略扁圆形，也就是椭圆形的轨道上运动，甚至这种形状也仅仅是更复杂轨迹的一种近似。哥白尼的基本思想是正确的，这才是最重要的。它只是需要一些调整，使其更准确。

然而，就爱因斯坦的相对论而言，整个理论的创始原则要求所有事情都必须精确地按照预期的那样发生。实际上，在外人看来，爱因斯坦建立了像纸牌一样的房子，只用两三个简单的假设就支撑起了整个建筑。事实上，在 1931 年爱因斯坦了解到，有一本名为《100 个作者反对爱因斯坦》的书，他对此的回应是，如果他是错的，那么只有一个就足够了。

不过，爱因斯坦也为科学史上最令人着迷的错误之一播下了种子。爱因斯坦的新引力方程包括被他称为"宇宙学常数"的一项，他用大写希腊字母 Λ（读作 Lambda）表示：它在数学上是允许的，但并不是一个必选项，爱因斯坦把它写上去是因为宇宙学常数让他能够得到一个静态宇宙。

在那个时代，人们认为我们的宇宙仅仅是存在着，除此之外，宇宙要是发生任何别的情况，都超出了人们的想象。因此，在爱因斯坦的模型中，这个 Λ 的唯一作用是抵抗引力，保持宇宙平衡，抵消引力把整个宇宙收缩成一团的趋势。就这样，爱因斯坦发明了一个既不膨胀也不收缩的宇宙，与当时每个人的期望一致。

俄国物理学家亚历山大·弗里德曼（Alexander Friedmann）随后在数学上证明，爱因斯坦的宇宙虽然是平衡的，但却处于一个不稳定状态。就像一个停在山尖上的球，只要受到最轻微的推力，就会从这个或那个方向滚下来，或者像是用笔尖站立的一支铅笔，所以爱因斯坦的宇宙是处于扩张和全面坍缩之间的危险静止状态。此外，爱因斯坦的宇宙学常数是一个新概念，但仅仅因为你给某样东西起一个名字并不足以让它成为实在——爱因斯坦知道这个 Λ 是具有负引力的，但在物理宇宙中并没有已知的物质与之对应。

*　　　*　　　*　　　*　　　*　　　*　　　*

爱因斯坦的广义相对论彻底背离了以前所有的引力思想。GR 并不是建立在牛顿关于引力是一种幽灵般的超距作用（这个结论让牛顿本人也感到不舒服）的基础上，而是认为引力是质量对其他的质量或能量场导致的局域时空曲率的反映。换句话说，质量的集中会导致时空结构的弯曲——真实存在的凹痕。这些弯曲指引着运动质量沿着被称为"测地线"[1]的直线前进，虽然在我们看来测地线像是弯曲的轨迹，我们称之为轨道。20 世纪的美国理论物理学家约翰·惠勒（John Wheeler）说得最好，他把爱因斯坦的概念总结成"物质告诉空间如何弯曲，空间告诉物质如何运动"[2]。

最后，广义相对论描述了两种引力。一个是我们熟悉的那种，就像地球和被扔到空中的球之间的引力，或者太阳和行星之间的引力。它还预言了另一种引力——一种与时空本身的真空相关的、神秘的"反引力"。Λ（宇宙学常数）维护了爱因斯坦和他那个时代的每一位物理学家强烈认为是真实的东西：一个静态的宇宙——一

1　"测地线"是一个不必要的花哨字眼，它指的是弯曲的表面上的两个点之间的最短距离——在这里引申为在四维的弯曲时空结构中两点之间的最短距离。
2　在研究生院我上约翰·惠勒的广义相对论课时（在那里我认识了我的妻子）他经常这样说。

个不稳定的静态宇宙。引入不稳定条件作为物理系统的自然状态，这样做其实违反了科学的信条。你不能断言，整个宇宙是一个特殊的情况，它恰好是平衡的，并且永远如此。在科学史上，从未见过、测量过或想象过像爱因斯坦这样的做法，它也就成了著名的先例。

13年后，在1929年，美国天体物理学家埃德温·P. 哈勃（Edwin P. Hubble）发现宇宙不是静止的。他发现并汇总了令人信服的证据：越遥远的星系，与银河系相对退行的速度就越快。换言之，宇宙正在膨胀。如此一来，尴尬于宇宙学常数没有已知的自然力与之相对应，以及错过了预测宇宙膨胀的机会，爱因斯坦完全抛弃了 Λ，称这是他一生中"最大的错误"。他推测它的值为零，把它从公式中划掉了，就像下面这个例子：假设 $A=B+C$。如果你后来得知 $A=10$ 且 $B=10$，那么只有当 C 等于 0（C 在公式中没有必要出现）时，A 才仍然等于 B 加 C。

但这并不是故事的结局。在过去的几十年里，时常有理论家将 Λ 从墓穴里起出来，想象他们的想法在具有宇宙学常数的宇宙中会是什么样子的。69 年后，在 1998 年，科学最后一次请出了 Λ。在那年年初，两组相互竞争的天体物理学家发表了一则引人注目的声明：一组由位于伯克利的劳伦斯·伯克利国家实验室的萨尔·波尔马特（Saul Perlmutter）领导，另一组由位于澳大利亚堪培拉的斯特蒙罗山天文台和赛丁泉天文台的布莱恩·施密特（Brian Schmidt）以及位于马里兰州巴尔的摩的约翰·霍普金斯大学的亚当·里斯（Adam Riess）领导。他们发现，与近处已经被详细研究过的超新星相比，他们观测到的数十颗最遥远的超新星比预期的要暗很多。要解释这种现象，要么是因为那些远处的超新星的行为表现与近处的这些不同，要么是因为它们比主流的宇宙学模型给出的距离要远 15%。已知唯一能够"自然地"解释这种加速现象的就是爱因斯坦的

Λ——宇宙学常数。当天体物理学家掸掉它身上的泥土并把它放回爱因斯坦广义相对论的原始方程时，宇宙的已知状态与爱因斯坦方程匹配上了。

*　　*　　*　　*　　*　　*　　*

波尔马特等人研究的这类超新星，其价值在于它爆发时的质量。由于这种超新星爆发时的质量都是一定的，又都以同样的方式爆发，在相同的时间里释放出同样多的能量，从而达到的最高亮度也是相同的，因此，它们能够作为一种标尺，或"标准烛光"，用于计算这些超新星所在星系的宇宙距离，以此类推，我们可以一直丈量到宇宙中最遥远的地方。

标准烛光极大地简化了计算：因为超新星都会释放出相同的能量，暗淡的距离远，明亮的距离近。在测量它们的亮度（一个简单的任务）之后，你可以准确地得出它们离你以及它们彼此有多远。

如果超新星的亮度各不相同，你就不能单独

使用亮度来判断一个与另一个相比有多远了。这就像是一个暗淡的光点既可能是远处的高瓦数灯泡，也可能是近处的低瓦数灯泡。

不过还有第二种方法可以测量星系的距离：它们相对于我们的银河系的退行速度——退行是整个宇宙膨胀的一部分。正如哈勃首先证明的那样，膨胀的宇宙使得远处的天体比附近的物体运动更快。因此，通过测量星系的退行速度（另一项简单任务），可以推断出星系的距离。

如果这两种行之有效的方法对于同一个物体得出了不同的距离，一定是什么地方出了问题。要么是超新星不是一种好用的标准烛光，要么是我们通过测量星系速度而得到的宇宙膨胀率模型是错误的。

嗯，是出错了。事实证明，问题不出在超新星身上，超新星是完美的标准烛光，经受住了许多质疑者的仔细检验，所以天体物理学家必须面对一个比我们想象的膨胀得还要快的宇宙，使星系位于比此前根据星系退行速度测算出的更远的位置。除了引入 Λ——爱因斯坦的宇宙学常数，没有更简便的方法能解释这种额外的膨胀。

这是宇宙中充斥着排斥力的第一个直接证据，它与引力相反，这就是如何以及为什么宇宙学常数能起死回生了。Λ 突然获得了一个物理实相，于是它需要一个名字，所以"暗能量"登上了宇宙戏剧舞台的中央。这个名字非常恰当地体现了它的神秘，又体现了我们对其成因的无知。波尔马特、施密特和里斯无可争议地因为这一发现而分享了 2011 年的诺贝尔物理学奖。

迄今为止最精确的测量结果显示，暗能量是宇宙中最主要的东西，目前占据了所有质量 - 能量的 68%，暗物质占了 27%，一般物质仅占 5%。

*　　　*　　　*　　　*　　　*　　　*　　　*

我们四维宇宙的形状取决于宇宙中存在的物

质、能量的总量和宇宙膨胀速度之间的关系。我们用来描述宇宙形状的数学参数，是又一个牢牢把握宇宙命运的大写希腊字母：Ω（omega）。如果你把观测的物质 - 能量密度除以恰好勉强使宇宙停止膨胀的物质 - 能量密度（称为"临界密度"），你就会得到 Ω。

因为质量和能量都会导致时空弯曲，所以 Ω 便能告诉我们宇宙的形状。如果 Ω 小于1，实际的质量 - 能量会低于临界值，宇宙就会在所有的方向上永远膨胀，形成马鞍形，在这个宇宙里最初的平行线将会彼此发散远离。如果 Ω 等于1，宇宙将永远膨胀，但仅此而已。在这种情况下，宇宙形状是平坦的，我们在高中学习的平行线几何规则将一直有效。如果 Ω 大于1，平行线会发生汇聚，宇宙向其自身弯曲，最终将再次坍缩成为火球，正如它形成之时。

自从哈勃发现宇宙膨胀以来，还没有任何观测者测量到任何地方的 Ω 值接近1。把他们的望远镜能看到的所有质量和能量相加，甚至外推至这些限度之外，把暗物质也包含在内，得到的最大观测值是 $\Omega=0.3$。对这些观测家而言，宇宙是马鞍形的，是开放的。

然而，从 1979 年开始，麻省理工学院的美国物理学家阿兰·H. 古斯（Alan H. Guth），还有其他一些科学家，对大爆炸理论进行了调整，清理了一些令人困扰的问题，使宇宙如我们所知的那样平坦地充满了物质和能量。对大爆炸理论的这次更新的一个重要副产品是，它使 Ω 趋向于 1。不是趋向 1/2，也不是趋向于 2，更不是趋向 100 万，而是趋向于 1。

世界上几乎没有任何一个理论家对此持有异议，因为它使大爆炸理论能够解释已知宇宙的整体性质。然而，还有一个小问题：这次调整所预测的宇宙质量 - 能量的总和，足足是观测量的三倍。对此，理论家没有气馁，他们说观测家们只是找得还不够努力。

在统计结果的最后，可见物质仅占临界密度的不到 5%。那神秘的暗物质呢？科学家们把它也加上了。当时没有人知道它是什么，我们现在仍然不知道它是什么，但它肯定对质能总量有贡献。我们曾经得出暗物质是可见物质的 5 或 6 倍。但那还是太少了。观测家们茫然困惑，理论家们回应道："继续找。"

两个阵营都确信对方是错误的——直到发现了暗能量。当把暗能量添加到普通物质、普通能量以及暗物质中去的时候，宇宙的质量 - 能量密度提高到了临界水平。这让观测家们和理论家们都感到很满意。

理论家和观测家终于握手言和了。他们各自做事的方式都是正确的。就像理论家对宇宙的要求一样，Ω 确实等于 1，尽管你把所有的物质（包括暗物质或其他物质）加在一起都达不到——他们曾天真地以为会有更多物质。今天，宇宙中不会存在比观测家们估计的更多物质了。

没有人曾预见到暗能量在我们的宇宙中占据着如此重要的地位，也没有人曾想见它会是科学分歧的伟大调解人。

*　　*　　*　　*　　*　　*　　*

那么，它是什么东西呢？没有人知道。人们给出最接近的解释是，假定暗能量是一种量子效应——真空的空间并不是空无一物的，实际上翻腾着粒子和它们的反物质。它们成双成对地出现又消失，存在时间太短而无法被测量。它们瞬时存在的特性被写在了它们的名号中：虚粒子。由于每对虚拟粒子都曾经如此短暂地跻身于太空，它们会施加一点点向外的压力。

不幸的是，当你估计从虚粒子短暂的生命中产生的"真空压力"这种排斥力的大小时，它竟然比实验确定的宇宙学常数要大 10^{120} 倍。这是一个大得有些愚蠢的数字，它导致了科学史上理论和观测之间最大的不匹配。

是的，我们对暗能量一无所知。但这种无知并非一无是处。暗能量不是漂浮不定的，有一个理论可以锚定它。暗能量栖息在我们可以想象的最安全的港湾之一：爱因斯坦的广义相对论方程。这就是宇宙学常数。这就是 Λ。无论暗能量是什么，我们已经知道如何测量它，以及如何计算它对宇宙的过去、现在和未来的影响。

毫无疑问，爱因斯坦最大的错误是宣称那个 Λ 是他最大的错误。

*　　*　　*　　*　　*　　*　　*

对暗能量的搜寻开始了。既然我们知道暗能量是真实的，各路天体物理学家已经开始了雄心勃勃的计划，他们用地面和太空望远镜来测量宇宙中的距离，测量宇宙结构的增长。这些观测将检验暗能量对宇宙膨胀史的详细影响，并肯定会使理论家们忙个不停。他们迫切需要弥补他们计算暗能量理论值时造成的尴尬。

我们需要修正广义相对论吗？广义相对论和量子力学的联姻需要重大修改吗？还是有一些暗能量理论等待着某个尚未出生的聪明人去发现？

Λ 和宇宙加速膨胀的一个显著特征是，斥力产生于真空之中，而不是来自任何物质。随着真空的增长，宇宙中物质和（我们熟悉的）能量密度逐渐减小，而 Λ 对宇宙状态的相对影响变得更大。随着更大的斥力产生更多的真空，而更多的真空产生更大的斥力，迫使宇宙进入无休止的指数加速膨胀。

因此，任何没有被银河系束缚在附近的东西都将以越来越快的速度退行，成为时空结构加速膨胀的一部分。如今在夜空中可见的遥远的星系，最终将会消失在可以企及的视野之外，而它们离我们远去的速度比光速还要快。如此的宇宙壮举，并不是因为它们以这样的速度在太空中运动，而是因为宇宙的结构本身以这样的速度承载着它们。没有物理定律能阻止这一点。

再过大约一万亿年，居住在我们银河系里的所有人可能根本就不知道还有其他星系存在。我们的可观测宇宙将只包括一个由邻近的长寿恒星组成的系统。在这繁星满天的黑夜之外，还会有无尽的虚空——那是深空黑暗的脸庞。

暗能量是宇宙的基本属性，它最终将会削弱人类后代理解未来宇宙的能力。除非当代整个银河系的天体物理学家能将现在的宇宙做一个很好的记录，并埋下一个可以保存万亿年的时间胶囊，否则末日之后的科学家将会不知星系为何物——而星系是我们当前宇宙物质组成的主要形式——而且他们也将永远错过我们当前宇宙这部剧本的关键页面。

在我的梦中我不止一次想到：我们是否也错过了宇宙过去的一些基本章节？宇宙历史这部大书的哪一部分被标记了"拒绝访问"？我们的理论和方程式中，还缺少什么本应存在的东西，让我们苦苦追寻却可能永远找不到答案？

07

元素周期表里的宇宙
The Cosmos on the Table

有时候仅仅为了回答一些琐碎的问题，也需要深刻和广博的宇宙知识。在中学化学课上，我问我的老师元素周期表上的元素是从哪里来的。他回答说，从地壳里来的。我承认他说的没错。这肯定是实验室得到那些材料的地方。然而，地壳里的元素是从哪儿来的呢？答案一定和天文学有关。但要回答这个问题，真的需要知道宇宙的起源和演化吗？

是的，肯定需要。

只有三种元素是在宇宙大爆炸时自然出现的。其余的都是从高温的恒星核心，以及垂死恒星爆炸后的余烬中锻造出来的，这让后代的恒星系统得以吸纳这些重元素，从而形成行星，继而诞生人类。

对许多人来说，元素周期表只是一个被遗忘的怪东西——在中学课本上，一张满是格子的大图，上面写满了神秘咒语一般的字符。作为宇宙中所有已知和未知元素的化学行为的组织原则，这张图表应该被视为人类文化的一个标志，它是全人类科学探索的见证——这些探索包括发生在实验室里的、粒子加速器里的，以及宇宙研究前沿领域里的。

然而，时不时地，即使是科学家也禁不住把元素周期表看成是苏斯博士[1]笔下的奇禽异兽动物园。否则，我们怎么能相信有毒、高金属活性并且软到可以用黄油刀切开的钠，和一种臭臭的致命气体氯混合在一起，生成的氯化钠却成为了一种生物必需的，被称为食盐的无害化合物？氢和氧的结合也很神奇，一种是爆炸性气体，另一种则强烈助燃，然而两者结合则可生成液态水，而水可以灭火。

下面请允许我挑出一些对宇宙有重要意义的元素，从天体物理学家的角度来提供解读。

1　苏斯博士（Dr. Seuss, 1904—1991），美国著名儿童文学作家、漫画家，创作过超过60本儿童书籍，代表作有《戴高帽子的猫》《霍顿听到了呼呼的声音》等。——译注

＊　　＊　　＊　　＊　　＊　　＊　　＊

氢是最轻和最简单的元素，原子核内只有一个质子，它完全是大爆炸时期产生的。在 94 种天然元素里，氢占据了人体内所有原子数目的三分之二还多，在宇宙的所有原子中更是超过了 90%，包括太阳系在内的所有尺度上都是如此。在巨大的木星的核心里，氢处于如此大的压力下，致使它的行为更像一种导电的金属而不是气体，从而产生了太阳系行星中最强的磁场。1766 年，英国化学家亨利·卡文迪许（Henry Cavendish）在实验时从水（H_2O）中发现了氢（hydrogen 的英文名来自希腊文 *hydro-genes*，意思是"生成水的"），不过卡文迪许在天体物理学领域最广为人知的是，他是第一个通过测量牛顿引力方程里引力常数的精确值，从而计算出地球质量的人。

每一天的每一秒，在太阳那个温度高达

1500 万开尔文的核心里，就有 45 亿吨高速移动的氢原子核撞击形成氦，转变成能量。

* * * * * * *

氦是一种低密度气体，当你吸入氦气时，会暂时提高你的气管和喉部的振动频率，使你的声音听起来像米老鼠。氦是宇宙中第二简单和第二丰富的元素。虽然丰度（原子数比例）比氢小得多，但它的含量是宇宙中除了氢之外所有其他元素总和的 4 倍以上。大爆炸宇宙学的支柱之一是，它预言在宇宙的任何区域，氦元素在所有原子中所占的比例不少于 10%，这一比例在宇宙诞生时的原始火球中便混合形成了。因为在恒星内的氢核聚变也会产生氦，所以宇宙中的某些区域可以很容易积累超过 10% 的氦，但是正如大爆炸理论预言的，迄今为止还没有人发现过某个星系里的氦含量少于这一比例。

在氦元素在地球上被发现并分离出来的 30

年之前，1868 年日全食期间，天文学家们在太阳的日冕光谱中探测到了氦。正是这个原因，氦（helium）才得名于希腊太阳神赫利俄斯（Helios）。氦的浮力是氢的 92%，但没有氢的易爆性，所以节日庆典活动上用的大型充气人偶就是用氦作为填充气体的，于是举办这种活动的商场等单位，成了仅次于军队的第二大氦元素用户。

*　　　*　　　*　　　*　　　*　　　*　　　*

锂是宇宙中第三简单的元素，它的原子核中有三个质子。就像氢和氦一样，锂也是在大爆炸中制造出来的，但与氦也可以在恒星核中制造不同的是，锂会被每一个已知的核反应所破坏。大爆炸宇宙学的另一个预测是，我们可以预期宇宙任何区域中，锂的原子数比例不超过 1%。还没有人在任何星系中，发现锂的含量超过这一比例。氦的丰度下限和锂的丰度上限互相对照，为检验大爆炸宇宙学提供了强有力的双重约束。

*　　　*　　　*　　　*　　　*　　　*　　　*

碳元素能够合成很多种分子，其种类要比其他所有不含碳的分子的总和还要多。宇宙中有大量的碳，它们在恒星核心里被锻造，又被翻搅到恒星表面，并大量释放到星系空间里，所以碳是最适合成为化学和生物多样性基础的元素了。氧元素在丰度排名中略胜于碳，也很常见，它是从爆炸恒星的残骸中被锻造和释放出来的。氧和碳都是我们所知道的生命的主要成分。

但我们不知道的生命形式呢？基于硅元素的生命会是什么样的？硅在元素周期表中位于碳的正下方，这意味着，从原则上来说，它可以创造出与碳同样多的分子组合。不过，最后还是碳胜出了，因为在宇宙中，碳比硅要丰富十倍。但这并不能阻止科幻小说作家们的想象力，他们总是在警惕着外星生命，却也最想知道第一个硅基的外星人会是什么样子。

钠，除了作为食盐的活性成分以外，也是目前城市路灯中最常见的发光气体。钠光灯要比白炽灯"燃烧"得更亮，寿命也更长，但是这两种灯泡可能很快都会被 LED 灯所取代，因为 LED 灯在特定功率下更亮，也更便宜。最常见的钠光灯有两种：黄白色的高压钠灯，和比较少见的发橙色光的低压钠灯。尽管所有的光污染对天体物理学都是有害的，但低压钠灯是最不坏的，因为它们的污染可以很容易地从望远镜数据中去掉。作为合作范例，离凯特峰国家天文台最近的大城市——亚利桑那州图森市，已经通过了与当地天体物理学家的协议，将城市所有路灯换成低压钠灯。

*　　*　　*　　*　　*　　*　　*

铝占据了地壳的近 10%，但对古人来说却是未知的，我们的曾祖父母对它也不熟悉。因为这种元素直到 1827 年才被识别和分离出来，直到 20 世纪 60 年代末才进入普通家庭，当时锡罐和锡箔被铝罐、铝箔所取代（我敢打赌，你认识的大多数老年人仍然把这种材料叫锡纸）。抛光后的铝可制成几近完美的可见光反射镜，是今天几乎所有望远镜的首选涂层。

钛的密度是铝的 1.7 倍，但强度是铝的两倍以上。因此，钛——在地壳中第九丰富的元素——已经成为许多现代用品的宠儿，如军用飞机部件和假肢都需要一种轻便而高强度的金属来实现其功能。

在宇宙中的大多数地方，氧原子的数量都超过了碳。在每一个碳原子都锁住了可用的氧原子（形成一氧化碳或二氧化碳）之后，剩余的氧便与其他元素结合，比如钛。红色恒星的光谱中布满了源于钛氧化物的特征，钛氧化物本身对地球上的"明星"来说并不陌生：星光蓝宝石和红宝石呈现的星彩就是由晶格中的钛氧化物杂质造成的。此外，用于望远镜圆顶的白色涂料含有钛氧化物，它恰好在光谱的红外线部分具有高度反射性，能大大减少望远镜周围空气中积累的阳光热量。黄昏时分，随着圆顶的打开，靠近望远镜的空气温度迅速与夜间空气的温度达到一致，使得恒星和其他宇宙天体的光线变得锐利而清晰。而且，钛（titanium）的名字虽然不是直接来自宇宙天体，但它来自希腊神话的泰坦巨人（Titans），泰坦也是土星最大卫星土卫六的名字。

*　　　*　　　*　　　*　　　*　　　*　　　*

从很多方面来说，铁都算得上宇宙中最重要的元素。大质量恒星在其核心中制造的元素，依次从氦到碳到氧到氮，等等，在元素周期表上一直延续到铁。在铁原子核中，有 26 个质子和至少同样多的中子。铁的特殊之处在于，在所有元素中，它的每个核粒子具有的总能量最小。这意味着一些很明显的事情：如果你通过裂变来分裂铁原子，它们就会吸收能量。如果你通过聚变来合成铁原子，它们也会吸收能量。别忘了恒星就是在忙着制造能量。随着大质量恒星在其核心制造和积累铁元素，它们也正接近死亡。如果没有丰富的能量来源，这颗恒星就会在自己的重量下坍缩，紧接着发生反弹，形成猛烈的超新星爆发，在超过一个星期的时间里，它会比10亿个太阳还亮。

* * * * * * *

软金属镓的熔点如此之低，像可可脂，接触到你的手就会熔化。除了用来进行空手熔金这种客厅炫技之外，天体物理学家对镓并不感兴趣，除非是作为镓化氯实验的一种成分，用来探测来自太阳的令人难以捉摸的中微子。在这个实验里，大量（100吨）的液态氯化镓被深埋在地下的一个大桶里，用来监测中微子和镓原子核之间发生的碰撞，这个反应将镓转化为锗。在每次原子核被撞击时，这种相遇都会发出X射线。久而未决的太阳中微子问题，即探测到的中微子比理论预测的要少的问题，就用这样的"望远镜"解决了。

*   *   *   *   *   *   *

锝的所有同位素都有放射性。除了在粒子加速器里可以按需制造，在地球的任何地方都找不到它。锝的这种特征写在了它的名字里，Technetium 来自希腊文 *technetos*，意思是"人造的"。出于尚未完全理解的原因，锝存在于一小类红色恒星的大气层中。单就这一点来说并没什么，不过值得注意的是，锝的半衰期仅为 200 万年，比这些恒星的生命期要短很多很多。也就是说，锝并不是这些恒星一开始就具有的元素，否则它们早就衰变殆尽了。在恒星核心也没有已知的机制产生锝，并让它翻腾到恒星表面从而被我们发现。对这一现象的解释已经导致了多种奇怪的理论，在天体物理学界尚未达成共识。

*   *   *   *   *   *   *

与锇和铂一起，铱是元素周期表里三种最重（密度最大）的元素之一——体积相当于三个桶装水（56 升）的铱的重量就比一辆别克车还重。铱也是下面著名事件的铁证：在世界各地的白垩纪、古近纪地层交界处，都发现了可追溯到 6500 万年前的铱元素。并非巧合的是，当时凡是比登机箱大的陆地物种都灭绝了，包括传奇一般的恐龙。

　　铱在地球表面很罕见，但在直径 10 千米的金属小行星上相对常见，当小行星撞上地球时，因撞击而气化，把它带来的铱洒遍了地球表面。所以，无论你最喜欢哪一种恐龙灭绝理论，来自外太空的一颗珠峰大小的杀手小行星都应该名列榜首。

＊　　＊　　＊　　＊　　＊　　＊　　＊

　　我不知道阿尔伯特·爱因斯坦（Albert Einstein）会怎么想，但在 1952 年 11 月 1 日的南太平洋埃尼威托克环礁第一次氢弹试验的残骸中，发现了一种未知的元素，为了向他致敬而命名为锿（einsteinium）。要是我能给它命名，我会给它起名叫"末日元素"（armageddium[1]）。

同时，在元素周期表中有十个元素的名字是来自围绕太阳运行的天体：

磷（Phosphorus）的名字来自希腊文，意思是"带来光明者"（*light-bearing*），也是金星的古代名称，因为它是启明星，在黎明日出之前出现在天空。

硒（selenium）的英文名来自希腊文的"月亮"（*selene*），它之所以得此名是因为，在采矿中它总是与元素碲相伴存在，而碲（tellurium）的名字的来自拉丁文"地球"（*tellus*）。

1801 年 1 月 1 日，意大利天文学家朱塞普·皮亚齐（Giuseppe Piazzi）在火星与木星之间的巨

---

1 由 Armageddon 变形而来，这个词意为（《圣经》中说的）世界末日的善恶大决战。——译注

大空旷地带，发现了绕太阳运行的一颗新行星。根据用罗马神命名行星的传统，这个天体以丰收女神之名被命名为谷神星（Ceres）。当然，Ceres也是"谷类食物"（cereal）这个词的词根。谷神星的发现让科学界非常兴奋，为向其致敬，便把之后发现的一种新元素命名为铈（cerium）。两年后，在谷神星绕着太阳运行的同一空间又发现了一颗行星，它被称为智神星（Pallas），来源于罗马神话里的智慧女神帕拉斯，并且，因循铈的例子，发现智神星之后找到的第一个元素被命名为钯（palladium）。这种命名传统在几十年后结束了，因为人们在同一轨道区域发现了更多类似的天体，并且发现它们比已知最小的行星还要小得多。其实被发现的这片区域是太阳系的一片新领地，其中布满了小而不规则的石块和金属块。谷神星和智神星不是行星；它们是小行星，它们所在的小行星带中，现在已发现了数十万个天体——这可比元素周期表中的元素多太多了。

金属汞（mercury），在室温下呈液态，滚来滚去，它跟太阳系所有行星中运动最快的水星（Mercury），都是以罗马神话里行动迅速的信使之神墨丘利命名的。

钍（thorium）是以北欧神话中的强壮的、挥舞着闪电的雷神托尔（Thor）命名，它对应罗马神话里以闪电为武器的朱庇特（Jupiter，这也是木星的英文名）。说到木星，哈勃望远镜对木星两极区域的观测图像显示，在那里湍急的云层深处确实存在大规模的放电活动。

唉，土星，萨图恩（Saturn），我最喜欢的行星[1]，并没有以它命名的元素，但天王星（Uranus）、海王星（Neptune）和冥王星（Pluto）都有很著名的代表元素。

元素铀（uranium）在 1789 年被发现，其命名是为了向八年前威廉·赫歇尔（William

---

1 事实上，地球是我最喜欢的星球，然后才是土星。

Herschel）发现的天王星致敬。铀的所有同位素是不稳定的，会自发地衰变成较轻的元素，这个过程伴随着能量释放。在战争中使用的第一颗原子弹，即以铀作为其活性成分，于 1945 年 8 月 6 日被美国投到了日本广岛。在铀核中有 92 个质子，被普遍认为是自然形成的"最大"元素，不过在铀矿里还是可以发现较大的自然元素，但含量极少。

如果天王星值得向其致敬而命名一种元素，那么海王星也是如此。然而情况不太一样的是，铀是在天王星发现不久之后找到的，镎（neptunium）则是 1940 年在伯克利回旋加速器里发现的，距离德国天文学家约翰·加勒（John Galle）发现海王星已经过去整整 97 年了。法国数学家约瑟夫·勒维耶发现天王星的轨道行为很怪异，他预言存在一颗未知行星干扰了天王星的运动，并计算出这颗行星的轨道，加勒正是在预言的那片天区找到了海王星。就像在太阳系中海王星跟在天王星之后一样，在元素周期表中镎也会紧跟在铀之后出现。

伯克利回旋加速器发现（或说是制造了）许多自然界中找不到的元素，包括钚（plutonium），在元素周期表里，它紧跟在镎之后，以冥王星（Pluto）命名；冥王星是 1930 年克莱德·汤博（Clyde Tombaugh）在亚利桑那州的洛厄尔天文台发现的。就像 129 年前发现谷神星一样，人们兴奋不已。冥王星是由美国人发现的第一颗行星，而且在没有更好的数据的情况下，它被普遍认为是大小与地球相当的天体。然而，由于测量手段变得越来越精确，测到的冥王星尺寸也在不断变小。

我们对冥王星大小的了解直到 20 世纪 80 年代末才稳定下来。现在我们知道，冰冷的冥王星在曾经的九大行星里个头小得不成比例，甚至比太阳系的六颗最大的卫星还要小一点儿。和成群结队的小行星一样，后来人们发现，太阳系外围存在着数以百计与冥王星相似的天体。这预示着冥王星跻身大行星的日子已经不多了，并且由此也揭示了此前未曾被记录的柯伊伯彗星带的存在，冥王星就属于这个小型冰天体群。考虑到这一点，有人可能会认为，谷神星、智神星和冥王星是以其假象溜进了元素周期表。

不稳定的武器级钚，是在广岛被炸毁三天后，美国在日本长崎上空引爆的那枚原子弹的活性成分，这使第二次世界大战迅速结束。前往太阳系外的航天器装有"放射性同位素热电发生器"，通常都以少量非武器级的放射性钚为能源，因为那里阳光的强度已经下降到不能使用太阳能电池板了。1磅（约0.45千克）钚能产生1000万千瓦时的热能，这足以给一盏白炽灯供电11000年，要是我们人类能依靠核燃料提供的能量代替食物，这些能量也够一个人用11000年。

＊　　＊　　＊　　＊　　＊　　＊　　＊

　　所以，在元素周期表的宇宙之旅结束时，我们已经到达了太阳系的边缘，甚至更远。至今我还不能理解，为什么那么多人不喜欢化学制品，还有人要求食物中禁用化学物质。也许那些又长又难懂的化学名称听起来很可怕，但这应该怪罪化学家，而不是化学物质本身。就我个人而言，我对无论存在于宇宙何处的化学物质都没有什么不适。我最喜欢的恒星，以及我最好的朋友们，都是由化学物质构成的。

08

关于球形这回事儿
On Being Round

除了晶体和破碎的岩石，宇宙中很少有东西天然就带着棱角。虽然许多物体形状奇特，但从简单的肥皂泡到整个可观测的宇宙，球形物体的名单实际上是无穷无尽的。在所有形状中，球形最受简单物理定律的青睐。物体呈球形的倾向如此普遍，以至于我们为了取得对物体的基本了解，常常假设它是球形的，即使我们确定它是非球形的。简而言之，如果你不了解球形，那么你就不能宣称理解了物体的基本物理性质。

　　自然界中的球形是由诸如表面张力之类的力制造的，它们希望使物体在各个方向都变得更小。液体的表面张力使肥皂气泡在各个方向挤压空气，它会在被形成的瞬间，用尽可能少的表面积来包围那部分空气。这就产生了具有最高强度可能的气泡，因为除非必要，肥皂膜就不需要扩张得更薄。只要用大学一年级的微积分，你就可以证明这种，也是唯一的一种，对封闭的体积来说具有最小的表面积的形状，是一个完美的球体。事实上，如果所有的装运箱和超市里的所有食品包装都是球形的，那么每年可以节省数十亿美元的包装材料费用。例如，一盒超大份的麦片，可以很容易地装入一个半径为 12 厘米的球形纸箱。但实用性更占上风——没有人想要在球形包装盒滚下货架后去满地追赶它们。

在地球上，制造滚珠轴承的一种方法是用车床加工，另外一种是将事先定好量的熔融金属液滴在长传动轴的顶端。在固定成为球形之前，金属液滴会不停地颠簸，而且需要足够的时间来硬化，然后才算完工。在地球轨道上的空间站里，那里一切都是失重的，你轻轻地喷出精确定量的熔融金属，之后你就不用管了——珠子冷却过程中就会悬浮在那里，直到它们硬化为完美的球体，表面张力会为你做所有的工作。

* * * * * * *

对于庞大的宇宙天体来说，是能量和引力共谋将其转化为球体。引力是使物质在各个方向坍缩的力量，但引力并不总是会赢——固态物体的化学键很强大。由于地壳岩石的支撑，喜马拉雅山的生长克服了地球引力的作用。但在你对地球上的巍峨大山兴奋莫名之前，你应该知道，从最深海沟到最高山脉之间的高度大约只有 20 千米，但是地球的直径将近 13000 千米。因此，与在它表面上走动的微小人类的认识相反，地球作为一个宇宙天体，是非常平滑的。如果你有一个宇宙超级无敌大手，用它拂过有高山深海的地球表面时，会感到像台球一样光滑。那些昂贵的地球仪上高耸的山脉，其实是严重夸大了实际情况。这就是为什么尽管地球有山脉和山谷，以及在两极方向上略扁，但从太空看起来，地球与完美球体并无二致。

与太阳系其他星球上的山相比，地球的山其实微不足道。火星的最高山奥林匹斯山的高度约

2万米，山底部近500千米宽。这让阿拉斯加的麦金利峰看起来像个鼹鼠丘。宇宙造山的方法很简单：天体表面的引力越弱，其山脉就能更高。珠穆朗玛峰的高度差不多已经达到了地球山峰的极限了，因为如果再高，它下方的岩层就会被自身的重量压垮。

如果固体天体的表面引力足够低，其岩石中的化学键就能够抵抗自身重量的作用。在这种情况下，天体可能是任何形状的。两个著名的非球形天体是火卫一和火卫二，火星的这两颗卫星长得就像大土豆。两个卫星中火卫一略大，尺寸为27千米 ×22千米 ×18千米，一个重70千克的人在它上面仅相当于地球上的110克。

在太空中，表面张力总是迫使一小团液体形成球体。每当你看到一个小的固体物体是球形的，你大可以假设它形成时曾处于熔融状态。如果那团东西质量非常大，那么不管它由什么组成，引力都将确保把它塑造成一个球体。

星系中体积庞大、质量巨大的气团可以凝聚成近乎完美的气态球体，这就是恒星。但是，如果一颗恒星轨道离另一个引力很大的天体太近，那么随着它的物质被夺走，它的球体形状也会被扭曲。所谓"太近"，我的意思是太接近另一个天体的"洛希瓣"——以19世纪中叶的数学家爱德华·洛希（Édouard Roche）命名，他对双星附近的引力场做了详细的研究。理论上，洛希瓣是两个相互围绕的天体周围像哑铃状的一对包层。

　　如果一个常见的天体的气体物质从它自己的包层中跑出来，就会掉向另一个天体。在双星系统中，当其中一个恒星膨胀为红巨星，物质溢出它的洛希瓣时，就会发生这种现象。此时，红巨星扭曲成一个奇特的非球形状，类似于一颗被拉长的好时巧克力。此外，有时双星中有一个是黑洞，它的位置就会因为正在被它吞噬的伴星而暴露出来。盘旋而出的气体，通过巨星的洛希瓣之后，被加热至极高温度，在掉落到黑洞本体消失之前会发出很亮的光。

* * * * * * *

银河系里的群星呈现出一个大大的、扁平的圆盘形状，它的直径与厚度之比为 1000 : 1，比任何最平坦的煎饼还要平坦。对，银河系不是球形的，但最初却可能是。我们可以通过假设银河星是由一个巨大的、球形的、缓慢旋转的气体球坍缩而成，以便来理解它如今的平坦程度。在坍缩的过程中，这个球旋转得越来越快，这就跟花样滑冰运动员收紧双臂以增加自转速度是一样的。星系的两极方向自然地变扁，而中间增加的离心力阻止盘面的坍缩。

在银河系星云坍缩之前就已形成的任何恒星，它们保持在巨大并向下运动的轨道上。剩下的气体，很容易就粘到它们身上，就像两个热棉花糖在空中相撞，然后它们就被限制在了中间盘面上，后世的恒星，包括太阳在内，就在这里面生成。目前的银河系，既不在坍缩也不在膨胀，而是一个引力成熟的系统，在这个星系中，那些仍在盘面上方或下方轨道上运行的恒星，可以认为是最初球状气体云的残骸。

旋转物体总体趋于扁平是地球的极直径（从南极到北极）比赤道直径略小的原因。但差别并不大：千分之三，约 42 千米。但地球很小，主要是固体，而且旋转速度也不快。以 24 小时转一圈来算，地球赤道上的东西，仅仅以每小时1600 千米的速度转动。相较之下，快速旋转的气态巨行星土星，它上面一天只有 10 个半小时，赤道上的线速度为每小时 35000 万千米，它的极直径比中间的赤道直径要短整整 10%，这个差异甚至通过一个小型的业余望远镜就能看出来。变扁的球体一般称为扁椭球体，而两极被拉长的球体称为长球体。在日常生活中，汉堡包和热狗分别是这两种形状很棒的例子（虽然有些极端）。

我不知道你怎么想，我每次吃汉堡包，脑海里都会冒出土星的样子。

*　　*　　*　　*　　*　　*　　*

我们利用离心力对物质的影响，来获得极端宇宙天体的自转速度，比如脉冲星。由于它们的旋转速度高达每秒 1000 转，我们就可以知道，它们不可能是由日常物质组成的，否则它们本身就会由于旋转过快而解体。事实上，如果脉冲星旋转得更快一些，比如说每秒 4500 转，它赤道上的速度就达到了光速，这就告诉你这种材料极不寻常。

为了理解脉冲星，你可以想象一下，把整个太阳的质量装进一个曼哈顿大小的球里。如果这样很难做到，那么也许想象把 1 亿头大象装进一支唇膏管子里更容易一点。为了达到这个密度，你必须压缩所有虚空的空间，而这些空间原本是原子的原子核和它们的轨道电子自由运动之处。压缩之后，会将几乎所有的（带负电荷的）电子压进（带正电荷的）质子，形成一个（电中性的）中子球，表面引力高得令人发狂。在这样的条件下，登山者在地球上爬上500千米的悬崖所花费的能量，到了中子星上都爬不上一座相当于一张纸厚度的"山"！简而言之，在引力极大的地方，高处往往会倒塌，填补低洼之处——这听起来几乎像是《圣经》中"在为主预备道路"的形容："一切山洼都要填满，大小山岗都要削平，高高低低的要改为平坦，崎崎岖岖的必成为平原。"（《以赛亚书》40：4）。如果有制造球体的秘诀，这就是了。基于所有这些原因，我们认为脉冲星是宇宙中形状最完美的球体。

*　　　*　　　*　　　*　　　*　　　*　　　*

　　富星系团的整体形状透露了深刻的天体物理学信息。有些富星系团形状破破烂烂，有些被拉成细丝，而另一些则形成巨大的片状。这些都没有形成稳定的球状。有些星系团尺度是如此巨大，宇宙 140 亿年的年龄都不足以使其成员星系完成对星系团的一次跨越。我们得出的结论是，这些星系团的样子生来就如此，因为其中星系之间的引力碰撞时间太短，还不足以影响星系团的形状。

但是其他系统，比如我们在关于暗物质的章节中遇到的那个美丽的后发星系团，从外观就可以立刻看出，引力已经把它塑造成球形了。因此，这种星系团的成员星系运动方向不太可能都是一样的。如果是一样的话，那么整个星系团也不能旋转得很快，否则，它就会像我们的银河系一样，变得扁平化。

后发星系团，跟我们的银河系一样，也是引力成熟的。在天体物理学中，这种系统被认为是"弛豫"的，也就是它已经处于一种平衡状态。这意味着许多事情，比如成员星系的平均速度是星系团总质量的良好指标，不管总质量是不是造成其平均速度的原因。正是这些原因，引力弛豫系统是探测不发光的"暗"物质的绝佳利器。请允许我做一个更强有力的声明：如果不是因为存在弛豫系统，无处不在的暗物质可能至今尚未被发现。

*　　　*　　　*　　　*　　　*　　　*　　　*

　　囊括所有球体的那个球体——其中最大的也是最完美的——是整个可观测宇宙。从每个方向上看去，所有星系都在离我们远去，其速度跟它们和我们的距离成正比。正如我们在前几章中所看到的，这是1929年埃德温·哈勃发现的膨胀宇宙的最大特征。

　　当把爱因斯坦的相对论和光速、膨胀宇宙，以及由于膨胀所致的质量和能量稀释结合在一起时，我们在每个方向上都能找到一个距离，在那里星系的退行速度等于光速。在这个距离上和更远处，所有发光物体的光在到达我们之前就失去了所有的能量。也就是说，这个球形"边缘"之外的宇宙是不可见的，也不为我们所知。

在众多"多重宇宙"的版本中，有一个曾经广为流传，它认为多重宇宙并非由完全独立的宇宙组成，而是在一个连续时空结构之内，由彼此孤立、相互无接触的口袋空间组成。这就像大海上的许多艘船，它们彼此距离足够远，因此它们的圆形地平线并不相交。就其中任何一艘船而言（如果没有进一步的数据），它都是大海上唯一的船只，尽管它们共享着同一个海洋。

* * * * * * *

球体确实是多产的理论工具，能帮助我们洞察各种天体物理问题。但我们也不应该成为球形狂。我想起了一个关于"如何增加农场牛奶产量"

的半认真的笑话：畜牧业专家会说："改进奶牛的饲料……"工程师可能会说："改进一下挤奶机的设计……"但轮到天体物理学家时，他说："把奶牛改进成球形的怎么样……"

09

不可见光
Invisible Light

那么你还是用见怪不怪的态度对待它吧。

霍拉旭，天地之间有许多事情，

是你们的哲学所没有梦想到的呢。

———

《哈姆雷特》第 1 幕第 5 场

在 1800 年之前，在英文里，"光"（light）
这个词除了用作动词和形容词外，指的只是"可
见光"这个概念。但在那一年初，英国天文学家
威廉·赫歇尔观察到了某种致暖效应，他认为这
是由人眼看不见的光引起的。当时，赫歇尔已经
是一个卓有成就的观测家，他在 1781 年发现了
天王星，当时正在探索阳光、颜色和热之间的关
系。他开始在一束阳光的路径上放置了一个棱
镜——这并不新鲜，早在 17 世纪艾萨克·牛顿
爵士就这样做了，并且命名了广为人知的七种可
见光谱颜色：红、橙、黄、绿、蓝、靛、紫。但
赫歇尔的好奇心并未得到满足，他想知道每种颜
色的温度可能是什么。所以他把温度计放在棱镜
彩虹的不同区域，正如他猜想的那样，不同的颜
色处确实记录下了不同的温度[1]。

---

[1] 直到 19 世纪中期，当物理学家的光谱仪被应用于天文问题
时，天文学家才变成了天体物理学家。在 1895 年，著名的《天
体物理学杂志》（*Astrophysical Journal*）创立时，它的副标题
是"光谱学和天文物理学国际评论"。

设计完善的实验需要一个"对照组"，在对照组中你根本不指望有任何效果，它是作为实验的"傻瓜检验"而存在的。例如，如果你想知道啤酒对郁金香有什么影响，那么也可以同时拿另外一棵一样的郁金香，但给它浇的不是啤酒而是水。如果两种植物都死了——如果你把它们都杀死了——那么你就不能责怪啤酒。这就是对照组的价值所在。赫歇尔深知对照组的重要性，因此他在可见光谱之外，紧挨红光的那里也放了一个温度计，他预期在整个实验过程中这个温度计的温度不会超过室温。然而，意料之外的事儿发生了，对照组温度计的温度上升得比红色光那里还要高。

赫歇尔写道：

"（我）得出结论，整个红色区域仍然没有落在最大热量处，最大热量甚至可能是位于可见光之外。在这种情况下，辐射热至少有一部分，如果不是主要的话，包括——如果我可以被允许如此表达——不可见的光；也就是说，来自太阳的光线之中，有一种能量与我们的视觉并不对应。"[1]

天哪！

赫歇尔无意中发现了红"外"光（红外线），这是光谱紧挨红色"之外"的全新部分，他在关于这一主题的四篇论文中的第一篇报告了这一发现。

赫歇尔发现的秘密在天文学里的地位，相当于荷兰科学家安东尼·范·列文虎克（Antonie van Leeuwenhoek）发现的一滴湖水里有"许多非常小的活物，动得飞快"[2]。列文虎克发现了单细

---

1 威廉·赫歇尔，关于太阳和在地面射线里的异常热量，英国天文学联合会，哲学学报（*Philosophical Transactions*），1800 年，17 期．

2 安东尼·范·列文虎克，致伦敦皇家学会的信，1676 年 10 月 10 日．

胞生物——一个生物学的宇宙；赫歇尔发现了一个新的光带。这两者都隐藏在众目睽睽之下。

其他研究人员马上接续了赫歇尔未涉足的范围。1801 年，德国物理学家和药剂师约翰·威廉·里特（Johann Wilhelm Ritter）发现了另一个不可见光带。里特这次利用的不是温度计，他把一小堆光敏氯化银放置在每个可见光颜色区域，也放在了紧挨着紫色频谱结束的黑暗区域。果然，看似无光照区域中的那一小堆氯化银变黑的程度，要比紫色区域的还要深。紫色之外有什么？紫"外"光（紫外线）。

按照从低能、低频到高能、高频为序，来填满整个电磁波谱，我们就有了：无线电波、微波、红外线、可见光、紫外线、X 射线和伽马射线。现代文明巧妙地利用了其中每一个频段，制造了无数的家庭和工业设施，让我们熟悉了它们。

*　　*　　*　　*　　*　　*　　*

在发现红外线和紫外线之后，天文观测没有在一夜之间改变。直到130年后，第一台用于探测不可见光波段电磁波的望远镜才建成。这时，无线电波、X射线和伽马射线早已被发现，德国物理学家海因里希·赫兹（Heinrich Hertz）也已证明，不同种类的光唯一真正的区别其实就是它们的频率。事实上，正是赫兹认识到了这一点，我们才有了电磁波频谱这个东西。为了纪念他，所有物体的振动频率的单位，都叫作赫兹。

奇怪的是，从发现不可见光带，到想到建造不可见光望远镜这个过程，天体物理学家显得有点迟钝。技术尚未完备肯定是重要原因，但人类的傲慢也要承担一部分责任：宇宙怎么可能向我们发出我们的神奇肉眼看不到的光？超过三个世纪——从伽利略时代，直到埃德温·哈勃时代，建造望远镜只意味着一件事：制造一种捕捉可见光的仪器，增强我们天赋的视力。

望远镜仅仅是增强我们贫乏感官的工具，使我们能够更好地了解遥远的宇宙。望远镜越大，它就能让我们看见越暗淡的天体；镜片磨制得越完美，产生的图像就越清晰；它的探测器越灵敏，观测就越高效。在任何情况下，望远镜传递给天体物理学家的每一点信息，都是承载于光束之上来到地球的。

然而，天上发生的事情，并不只局限在人类方便观测的可见光波段。相反，它们通常在多个波段同时发出不同数量的光。因此，如果望远镜和探测器不能感知整个光谱，天体物理学家们将会错过许多宇宙中令人兴奋的东西。

以爆炸的恒星——超新星为例。这是宇宙中常见的高能事件，会产生数量巨大的 X 射线，有时在爆炸的同时，还伴随着伽马射线爆发和紫外线闪光，当然也少不了可见光。在爆炸气体冷却，冲击波消散，可见光变暗之后很久，超新星的"残骸"持续在红外波段发光，同时发出射电脉冲，这是宇宙中最可靠的计时器——脉冲星就是由此而来。

大多数恒星爆炸发生在太遥远的星系，但是如果一颗恒星在银河系内爆发，它的垂死挣扎将会亮到让每个人都能看见，根本无须望远镜。最近我们星系中的两次超新星爆发，一次发生在 1572 年，一次发生在 1604 年，虽然这两次壮丽的天象被广为记载，但它们产生的不可见的 X 射线或伽马射线却没人看到。

天文观测设备，是根据其观测的光波波段来设计的，这就是为什么没有单一的望远镜和探测器能同时看到这类爆炸的所有特征。但解决这个问题的方法很简单：收集多个光波段中得到的所有观测结果（或许由你的同行观测所得），然后给不可见的光指定某种可见光的颜色，从而创建一幅多波段图像。这正是电视剧《星际迷航：下一代》中的角色乔迪所看到的景象。有了这种"视力"，你将什么都不会错过。

只有在你确定了你想观测的波段后，你才能考虑你的望远镜的镜面大小、建造所需的材料、它的形状和表面，以及你需要何种探测器。例如，X射线波长非常短，所以，如果你要收集它们，你的镜子就要超级光滑，以免表面的瑕疵扭曲它们。但是如果你要收集波长很长的无线电波，你的镜子用你徒手弯成的铁丝网就可以了，因为铁丝的不平整比无线电波的波长要小得多。当然，你也需要大量的细节（高分辨率），所以只要资金充足，你的镜子应该尽可能地大。最后，你的望远镜口径必须远远大于你要探测的光波波长，在这方面，最明显的例子无疑是射电望远镜。

*　　*　　*　　*　　*　　*　　*

射电望远镜，最早的不可见光望远镜，是天文台的一个令人惊异的亚种。美国工程师卡尔·G.央斯基（Karl G. Jansky）在1929年和1930年间成功地建成第一座射电望远镜。它看起来有点像无人农场的移动洒水系统。它由一系列高大的长方形金属框架制成，用木制的侧撑和底盘固定，下面安上了四个用福特T型汽车备胎做成的轮子，可像旋转木马一样转起来。央斯基调节这个30米长的装置，让其观测波长大约15米的电磁波，对应的频率为20.5兆赫。[1]央斯基为贝尔电话实验室工作，他建造这台设备是为了研究地面无线电通信的可能污染。这非常类似于35年后贝尔实验室给彭齐亚斯和威尔逊的任务，在后两者的接收机中发现了微波噪声，正如我们在第3章中看到的，这促成了宇宙微波背景的发现。

央斯基用他那个简单拼凑而成的天线，花了好几年时间，仔细追踪和记录接收到的静电噪声，

1　所有的波均遵循简单的等式：速度 ＝ 频率 × 波长。速度固定时，如果增加波长，频率则下降，反之亦然。这个规律对于任何以波形式传播的光线、声音，甚至是在运动场上球迷欢呼形成的"人浪"都成立。

他发现，无线电波不仅来自当地的雷暴和其他已知的陆地来源，也来自我们银河系的中心。那片天空区域每 23 小时 56 分钟就会经过望远镜的视野一次：这正是地球在太空中自转的周期，也正是银河中心回到天空同一个角度和高度所需要的时间。卡尔·央斯基发表了他的观测结果，标题为《显然来自地外源的电子干扰》[1]。

这项观测标志着射电天文学的诞生——但央斯基本人并未意识到这一点。贝尔实验室调整了他的工作，使他没能在他本人开创性的发现上取得更多的成果。不过，几年之后，来自伊利诺伊州惠顿市的一个名叫格罗特·雷伯（Grote Reber）的美国人，在自家的后院建造了一个 9 米宽的碟形金属射电望远镜。在 1938 年，在非受雇于任何人的情况下，雷伯证实了央斯基的发现，并在接下来的五年里制作了数幅低分辨率的

1　卡尔·央斯基，显然来自地外源的电子干扰，无线电工程师学院学报，21 期，10 卷（1933）：1387 页.

射电天空地图。

雷伯的望远镜虽然是史无前例的创新，但根据今天的标准，它又小又粗糙。现代射电望远镜已经完全不是那样了。不受后院的束缚，它们有时是名副其实的巨型怪物。MK1 望远镜，坐落在英国曼彻斯特大学乔德雷尔·班克天文台，它是一面可操控的 76 米宽的实心钢制单碟面，从 1957 年开始工作，是地球上第一个真正的巨型射电望远镜。在 MK1 开始运行几个月后，苏联发射了人造卫星"斯普特尼克 1 号"，这个盘状天线突然变成了跟踪轨道上那个小硬块的不二之选——这使它成为了追踪行星际太空探测器的太空跟踪网的先行者。

世界上最大的射电望远镜在 2016 年完工，被称为 500 米口径球面射电望远镜(Five-hundred-meter Aperture Spherical radio Telescope)，简称 FAST。它是由中国在贵州省建造的，面积比 30 个足球场还大。如果外星人给我们打电话，中国人会第一个知道。

*　　　*　　　*　　　*　　　*　　　*　　　*

　　干涉仪是另一种类型的射电望远镜，由相同的盘状天线阵列组成，分布在郊区的大片地区，用电子方式连接在一起工作。它能产生对辐射源天体的单一、连贯、超高分辨率的图像。早在快餐业发明"supersize me"这个口号之前，它已经是望远镜领域不成文的座右铭了，尤其射电干涉仪更是其中的庞然大物。其中之一，是在美国新墨西哥州索科罗附近的一个非常大的天线阵，官方名称就是甚大阵（Very Large Array，VLA），它由27架25米口径的碟状天线组成，分布在跨越35千米的沙漠平原轨道上。这座天文台是如此惊人，仿佛来自天外，因此多次成为电影大片的背景画面，包括《2010太空漫游》（1984），《超时空接触》（1997）和《变形金刚》（2007）。此外还有甚长基线阵列（Very

Long Baseline Array，VLBA），10 架 25 米的碟形天线从夏威夷到维尔京群岛，横跨 8000 千米，使它达到了世界上所有射电望远镜中的最高分辨率。

在微波波段的观测，对干涉仪来说是较新的任务，我们已经有了阿塔卡玛大型毫米波阵列（Atacama Large Millimeter Array，ALMA），它拥有 66 架天线，位于遥远的智利北部安第斯山脉。ALMA 可以在不到 1 毫米到几厘米的波长范围内调节，让天体物理学家们能够用高分辨率看到其他波段无法看见的宇宙动态，如正在坍缩的星云结构，它们将成为恒星诞生的育婴房。ALMA 之所以坐落在地球上最干旱的所在——海拔 4800 米的高原，是为了避开潮湿的云层。水可能对微波炉加热食物来说是很好的，但对天体物理学家来说是有害的，因为来自银河系甚至更远处的原始微波信号，会被地球大气层中的水蒸气吸收。水和微波关系密切：水是食物中最常见的成分，而微波炉工作时主要是在加热食物中的水分。这预示着，微波碰到水，会被水吸收。因此，如果你想得到尽可能清晰的天体图像，必须像 ALMA 那样，想办法把望远镜和宇宙之间的水汽量降到最低。

* * * * * * *

在电磁波谱的超短波长那一头，你会发现高频、高能的伽马射线，波长在皮米[1]量级。伽马射线是在 1900 年发现的，但一直到 1961 年美国宇航局的"探险者 11 号"卫星搭载了一架新的望远镜，才在太空里探测到了伽马射线。

任何经常看科幻电影的人都知道伽马射线对你有害。你可能会变成满身绿色的彪形大汉，或手腕上会喷出蜘蛛丝的怪咖。但伽马射线也很难被捕获，因为它们能穿透普通的透镜和反射镜。

1　皮米（picometer 或 pm），1 皮米相当于 1 米的一万亿分之一。

那么，如何去观察它们呢？"探险者11号"上望远镜的核心放着一个叫作闪烁器的装置，它通过发射出带电粒子来响应入射的伽马射线。如果你测量那些粒子的能量，你就能判断是哪种高能光创造了它们。

两年后，1963年，苏联、英国和美国签署了《部分禁止核试验条约》，禁止在水下、大气层和太空进行核试验——在那些地方核辐射可能扩散和污染到试验国以外的地方。但这是冷战时期，那个时代没有人相信任何人说的任何事情。援引"信任但要查证"的军事法令，美国部署了一系列新的卫星，即"维拉卫星"，用来监控由苏联的核试验所致的伽马射线爆发。这些卫星确实发现了伽马射线的爆发，几乎每天都有，但完全怪不到苏联头上。这些射线来自宇宙深空——后来被证明是来自宇宙间断续的、遥远的、规模巨大的恒星爆炸，这标志着伽马射线天体物理学的诞生，也是我所在研究领域的一个新的分支。

在 1994 年，就像维拉卫星的发现那样，美国宇航局的康普顿伽马射线天文台发现了一些出人意料的事情：在地球表面附近有频繁的伽马射线闪光。它们被理智地称为"地面伽马射线闪光"。核浩劫？不，从你正在读这句话的事实可以明显看出世界安然无恙。并非所有的伽马射线都是致命的，也不是都源自宇宙。每天在雷雨云的顶部附近，就在普通的闪电发生前的一瞬间，至少有五十次这样的闪光发生，它们的成因仍然是个谜，但最好的解释是，在雷雨云中，自由电子加速到接近光的速度，然后撞击到大气原子的原子核，从而产生了伽马射线。

*　　　*　　　*　　　*　　　*　　　*　　　*

今天，在光谱中的每一个不可见波段都有望远镜在运作，其中一些位于地面，但大部分位于太空——在那里，望远镜的视野不受地球大气层的阻碍。我们现在观测宇宙使用的波长，跨越了从数十米的低频无线电波，到不超过千万亿分之一米的高频伽马射线的广大范围。如此丰富的光源让天体物理学的新发现永无止境：想知道星系中的恒星中潜藏着多少气体？射电望远镜最擅长这项工作。如果没有微波望远镜，就不可能有关于宇宙背景的知识，也不可能真正理解大爆炸宇宙学。想偷看银河系星云深处的恒星育婴房吗？注意红外线望远镜正在做的事情。在普通黑洞和星系中心的超大质量黑洞附近的辐射是什么情况？紫外线和X射线望远镜做得最好。想看一颗40倍太阳质量的庞大恒星的高能爆炸吗？通过伽马射线望远镜能够目击好戏。

从赫歇尔的"不可见光"实验以来，我们已经有了长足进步，让我们能够探索宇宙的真面目，而不是它看起来的样子。赫歇尔如果有知，肯定会很自豪的。我们只有在看到了不可见之物以后，才获得了真实的宇宙图景：在我们的哲学中，我们现在所梦想的，是跨越空间、跨越时间的，一个丰富灿烂的天体和现象的集合。

10

在行星之间
Between the Planets

从远处看，我们的太阳系很空旷。如果你把它封闭在一个球体内——一个足够大，足以包含最远的行星海王星的轨道[1]，那么太阳、所有行星以及它们的卫星所占据的体积，只占这个球体的万亿分之一略多一点儿。但行星之间的太空并非空无一物，而是包含各种形式的大石块儿、小石块儿、冰球、尘埃、带电粒子流，还有远航的太空飞船。太空里还遍布着巨大的引力场和磁场。

行星际空间并非空无一物，地球在轨道上的运行速度是每秒 30 千米，每天能扫到数百吨的流星体——其中大部分还没有一粒沙子大。流星体冲进大气层时能量如此之高，以至于几乎全部刚一接触就气化了，随即在地球上层大气中燃烧殆尽。我们地球上的这些脆弱物种，有赖于这层大气保护罩才得以生存演化。更大的，像高尔夫球大小的流星体升温很快，但不均匀，并且经常

1　不，不是冥王星。请忽略它。

粉碎成许多小碎片，然后气化。还有更大的流星，表面都被烧焦了，但整个地落到了地面。你会认为，到现在为止，经过绕太阳旅行 46 亿圈之后，地球将会"清空"轨道路径上所有可能的碎片。并没有。但和过去比起来，现在的情况已经好多了。在太阳和它的行星形成后的 5 亿年里，有太多的碎片像暴雨一样落在地球上，持续撞击产生的热量使地球大气层变得炽热，连我们的地壳都熔化了。

一块非常大的碎片导致了月球的形成。从阿波罗登月计划带回来的月球样本中，科学家们意外地发现月球上缺少铁和其他更重的元素，这表明月球很有可能是从地球上缺铁的地壳和地幔中飞出去的，是一颗游荡的火星大小的原行星与地球任性碰撞的后果。这次碰撞后飞到轨道上的碎片合并形成了我们那颗可爱的低密度卫星。除了这次特别大的事件外，地球在其幼年时期所经受的猛烈轰击，在太阳系的行星和其他大型天体中并不罕见。它们也分别遭受了相似的创伤，这从月亮和水星的表面可以清楚地看到，由于没有大气，从而不会发生侵蚀作用，它们身上保留了这一时期的大多数撞击坑。

不仅太阳系被其形成时期的残骸撞得伤痕累累，而且附近的行星际空间还包含着火星、月球和地球遭受高速撞击时，从其表面抛出的大大小小的岩石。对流星撞击的计算机模拟表明，撞击区附近的地表岩石能够被以足够大的速度向上抛起，从而逃脱母体的引力束缚。根据在地球上发现火星陨石的概率，我们得出的结论是每年大约有 1000 吨的火星岩石掉落在地球上；也许有相同量级的陨石从月球到达地球。回想起来，我们其实不必特意去月球带回月球岩石，我们身边就有很多，不过在阿波罗计划期间我们还不知道这一点。

*　　*　　*　　*　　*　　*　　*

太阳系的大多数小行星主要分布在主小行星带上，这是火星和木星轨道之间一个大致平坦的区域。根据传统，发现者可以根据喜好来命名他们发现的小行星。虽然艺术画中会把小行星带描绘成太阳系盘面上遍布奇石的一片区域，但那里的小行星总质量不到月球的 5%，而月球自身的质量仅比地球质量的 1% 大一点。听起来无关紧要。但是它们的轨道不断地受到扰动，因此形成了数以千计的危险小行星，其椭圆轨道与地球的轨道相交。一个简单的计算表明，它们中的大部分将在 1 亿年内撞击地球。那些大于 1 千米的小行星碰撞所产生的能量足以破坏地球生态系统，并将地球上的大部分陆地物种置于被灭绝的危险之中。

那就太糟糕了。

小行星不是唯一对地球上的生命构成威胁的天体。"柯伊伯带"是一个布满彗星的带状环形区域，它开始于海王星的轨道之外，宽度范围和太阳到海王星的距离相当，冥王星也被包括在内。

荷兰出生的美国天文学家杰拉德·柯伊伯（Gerard Kuiper）提出了这样的观点：在寒冷的太空深处，在海王星的轨道之外，还有来自太阳系形成时的冰冻剩余物。如果它们没有坠落到一颗大行星上，这些彗星将会绕太阳运行数十亿年。跟小行星带一样，柯伊伯带的一些天体沿着椭圆轨道行进时，也会与其他行星轨道交叉。比如冥王星和它的伙伴们组成的冥族小天体，会穿过海王星的公转轨道。其他柯伊伯带物体会一直深入到内太阳系，任性地穿越行星轨道。这些天体中，最著名的是哈雷彗星。

比柯伊伯带更远处，一直延伸到距离最近恒星一半路程的位置，还有一个球状的彗星库被称为"奥尔特云"，得名于首先推断其存在的荷兰天体物理学家简·奥尔特（Jan Oort）。这个区域是长周期彗星的来源，那些彗星的轨道周期远长于人类的寿命。与柯伊伯带彗星不同，奥尔特云彗星可能从任何角度和任何方向进入内太阳系。

20 世纪 90 年代的两个最亮的彗星——海尔 - 波普彗星和百武彗星，都来自奥尔特云，而且短时间内它们将不再回来。

* * * * * * *

如果我们的眼睛能看到磁场，那么木星看起来要比天上的满月大十倍。访问木星的航天器必须被设计成不受这种强大力量的影响。正如英国物理学家迈克尔·法拉第在 19 世纪所证明的那样，如果你让一根导线通过一个磁场，沿导线长度方向就会产生电压。正是这个原因，快速移动的金属太空探测器的内部将会产生电流。同时，这些电流自身又会产生磁场，它们与周围的磁场相互作用，从而阻碍太空探测器的运动。

我最后一次细数太阳系中各行星的卫星数量时，一共是 56 颗。然后有一天我早上醒来，得知在土星周围又发现了十几个。从此之后，我决定不再管这些数字了。我现在关心的是，这些卫星中，哪个是有趣的、值得研究的。从某些方面来看，太阳系的卫星比它们所环绕的行星要更为迷人。

*　　*　　*　　*　　*　　*　　*

地球的卫星是月亮，它的直径约为太阳直径的 1/400，但它到地球的距离，也是它和太阳距离的 1/400，从而使太阳和月亮在天空中看起来一样大——这个巧合在太阳系的行星 - 卫星组合中是独一无二的，也让我们得以拍到独特的日全食照片。地球也潮汐锁定了月球，使它绕轴自转和绕地球公转具有同样的周期。只要发生这种情况，被锁定的卫星就只会永远以同一面朝向它的母星。

木星的卫星系统充满了怪胎。木卫一（Io），是最接近木星的卫星，它也被潮汐锁定，由于受到木星和其他卫星的挤压作用，这颗小球体产生了足够的热量，使其内部岩石都熔化了，因此木卫一是太阳系中火山最活跃的地方。木卫二，还有一个名字叫欧罗巴（Europa），它上面有大量的水，它的加热机制——跟木卫一一样——已经融化了表面之下的冰，于是在冰面之下存在着温暖的海洋。如果有第二好的地方去寻找生命，就是这里。（有一位艺术家曾经问我，来自欧罗巴的外星人是否应该被称为"欧洲人"。我想不到其他任何貌似合理的答案，只能点头称是。）

冥王星的最大的卫星，冥卫一（Charon，卡戎），和冥王星比起来，它个头很大，而且很靠近冥王星，于是冥王星和它彼此潮汐锁定了对方，它们的自转周期和公转周期是相同的。我们称之为"双潮汐锁定"，这个词儿听起来像是尚未发明的摔跤套路。

根据惯例，太阳系的行星基本以罗马神话里的诸神命名，卫星则以希腊神话里与之相关的诸神角色来命名。古典文学里的神灵有着复杂的社会生活，所以不缺人物角色来给那么多卫星命名。这条规则的唯一例外是天王星的卫星，它们以英国文学的各种角色来命名。除了那些用裸眼轻易可见的行星，英国天文学家威廉·赫歇尔爵士是第一个发现新行星的人，他是英王忠诚的臣民，所以他原本准备以英国国王的名字来命名天王星。如果威廉爵士成功了，行星名单将会如下：水星、金星、地球、火星、木星、土星和乔治。幸运的是，清醒的头脑占据了上风，若干年后还是采用了符合古典传统的名字：天王星（Uranus，宙斯的祖父），但是他以莎士比亚的戏剧和亚历山大·蒲柏的诗歌里的人物来命名卫星的最初建议成为延续至今的传统。在它的27颗卫星里，我们会发现天卫一爱丽儿（Ariel）、天卫六考狄利娅（Cordelia）、天卫十获丝梦娜（Desdemona）、天卫十一朱丽叶（Juliet）、天卫七奥菲利亚（Ophelia）、天卫十二波西娅（Portia）、天卫十五波克（Puck）、天卫二安布瑞尔（Umbriel）和天卫五米兰达（Miranda）。

太阳从它的表面以超过每秒100万吨的速度

散失物质，我们称之为"太阳风"，它主要的形式是高能带电粒子，速度高达每秒1600千米。这些高能粒子流在遇到行星磁场时会发生偏转。这些粒子螺旋向下进入行星的南北磁极地区，与气体分子激烈碰撞，从而使大气发光，形成丰富多彩的极光。哈勃太空望远镜已经在土星和木星两极附近发现了极光。在地球上，北极光和南极光时常提醒我们，拥有一个起到保护作用的大气层是多么好。

地球大气层从地面向上延伸数十千米。"低"地球轨道上的卫星通常在200到800千米高度飞行，绕地球一圈大约需要90分钟。虽然在这样的高度你无法呼吸，但这里仍然存在一些大气分子——足以缓慢地消耗卫星的在轨能量。为了对抗这种阻力，低轨卫星需要经常提升轨道高度，以免落回地球而在大气层中烧毁。另一种定义大气层边缘的方法是，看何处它的气体分子密度等于行星间的气体分子密度。根据这个定义，地球大气层的范围将绵延数千千米。

在更高的位置上，大约 36000 千米（地球到月球距离的 1/10）处，运行的是通信卫星。在这个特殊的高度上，地球的大气层不仅无关紧要，而且卫星的速度足够低，它需要一整天的时间才能围绕地球完成一次公转。在与地球自转速度精确同步的轨道上，这些卫星似乎一直悬停着，这使它们成为从地球表面一处向另一处发送信号的理想中继站。

*　　*　　*　　*　　*　　*　　*

牛顿定律特别指出，随着你离行星越来越远，行星对你的引力也就变得越来越弱，但并不会降到零。木星以其强大的引力场拦住了许多彗星的去路，否则它们将会在内太阳系肆虐。木星充当了地球的引力盾牌，就像一个魁梧的大哥哥，让地球拥有了长期（数亿年）的相对和平和安宁。没有木星的保护，地球上的生物将很难进化成有趣的复杂生命，并且总是会生活在毁灭性撞击带来的灭绝危机之中。

我们发射到太空的几乎每一个探测器都利用了行星的引力场。例如探索土星的"卡西尼号"，它就是经过了金星的两次引力助推，地球的一次助推（返回飞越），木星的一次助推。像连续变向的弹子球，借助一个行星的引力到达另一个行星是很常见的操作手段，否则仅靠火箭提供的能量和速度，探测器将无法到达它们的目的地。

我现在对太阳系的一些行星际残片负责。2000年11月，由大卫·李维和卡罗琳·舒梅克发现的主带小行星1994KA，被命名为13123-泰森以向我致敬。虽然我喜欢这种荣誉，但其实也没有什么好自夸的，因为好多小行星有我们熟悉的名字，如乔迪、哈里特和托马斯，甚至还有的小行星叫梅林、詹姆斯·邦德和圣诞老人。

目前发现的小行星已经有数十万颗，可能很快就会多得起不出名了。但不管那一天是否到来，我都颇感欣慰的是，以我的名字命名的那一块宇宙碎片并不孤单，因为在行星之间，跟它在一起的还有一大串以真实和虚构人物命名的其他碎块。

　　我也很高兴，目前，我的小行星没有朝地球冲过来。

11

另一个地球
Exoplanet Earth

无论你喜欢快跑、游泳、步行，还是爬行，从地球上一个地方到另一个地方的过程中，你都可以欣赏到我们这个星球上无穷的景色。你可能会看到峡谷绝壁上一条粉红色的石灰岩，一只在玫瑰茎上吃着蚜虫的瓢虫，一只从沙子里探出头来的蛤蜊。你所要做的就是看。

然而，如果从一架正在爬升的飞机的舷窗向外看，这些表面细节都将迅速消失。看不到蚜虫，也看不到好奇的蛤蜊。到达大约1万米巡航高度，连辨认高速公路都变得不容易。

当你进入太空时，更多的细节又消失了。从轨道高度约400千米的国际空间站窗口看出去，在白天你可能会认出巴黎、伦敦、纽约和洛杉矶，不过这是因为你在地理课上学过它们的位置。到了晚上，它们向四处蔓延的城市灯光使其显得更加明显。在白天，与传言不同，你看不到吉萨的大金字塔，也看不到中国的长城，它们毫不醒目的很大一部分原因是它们都是用取自周围环境的

土和石头建成。虽然长城有万里之长，但它只有
6 米宽——比公路都窄，在飞机上都快看不到公
路了，在更高的空间站上自然看不到长城。

从国际空间站轨道上用裸眼可以看到以下场
景：1991 年第一次海湾战争结束时，从科威特
的油田大火中升起的烟柱；2001 年 9 月 11 日从
纽约燃烧的世贸中心腾起的浓烟。你也会注意到
水田和旱田之间的绿色 - 褐色界限。除了这些之
外，再也没有什么人造景观能让你从数百千米的
天上辨认出来了。不过，你可以看到许多自然风
光，包括墨西哥湾的飓风、北大西洋的浮冰，以
及任何地方发生的火山喷发。

在 38 万千米之外的月球上，你将看不到纽
约、巴黎，以及地球上任何大城市的都市灯火。
但从月球上看过来，你仍然可以看到大型天气
锋面（weather front）在地球上移动。当火星离
地球最近时，距离大约 5600 万千米，从火星上
用业余天文望远镜可以看到地球上被冰雪覆盖的

大型山脉和大陆边缘。如果前往 48 亿千米外的海王星——在宇宙尺度上来说就是下一条街，太阳的亮度便只有现在的千分之一，在天空中占据的面积也只有地球上看到的千分之一。地球本身呢？它是一颗并不比暗星更亮的小斑点，几乎消失在了太阳的光芒里。

1990 年，"旅行者 1 号"在海王星轨道外拍摄的一张著名照片，证明了从宇宙深空看来，地球是多么平淡无奇——"暗淡蓝点"，这是美国天体物理学家卡尔·萨根给它的称呼。这已经很大方了。如果不是特地加上辅助说明，你甚至可能都不知道它在那儿。

假如某些具有高等智慧的外星人，用他们的超级视觉器官以及最先进的设备，从远方巡视天空，那会发生什么？他们可能发现地球的哪些特征？

首先是蓝色，这是地球最重要的特征。水覆盖着地球表面的 2/3 还多；仅太平洋就占据了地球的一半。任何能探测出地球颜色的外星人，肯定会推断出水的存在，它是宇宙中第三丰富的分子。

如果外星人的设备分辨率足够高，他们看到的就不仅仅是一个暗淡蓝点。他们也会看到蜿蜒的海岸线，强烈地暗示着水是液态的。聪明的外星人肯定知道，如果一个行星有液态水，那么那个行星的温度和大气压就会保持在一个很容易确定的范围内。

地球独特的极地冰盖，随着季节温度的变化而消长，这是在可见光波段不难分辨的特征。推测出地球的自转是 24 小时也很容易，因为同一块陆地会在非常规律的时间间隔里进入他们的视野。外星人也会看到大型天气系统来来去去；通过仔细研究，他们可以很容易把云层与地表的特征区分开来。

该检验一下实际情况了。最近的太阳系外行星——围绕着太阳以外的恒星旋转的行星——位

于半人马座 α 恒星系统中，它距离我们大约4光年，是一颗三合星系统，主要在南半球可见。而人类目前已发现的大多数系外行星位于几十到数百光年之外。地球的亮度不到太阳的十亿分之一，而且离太阳很近，这使得任何人想用可见光望远镜直接看到地球都非常困难。这就像在好莱坞的一盏探照灯附近探测萤火虫的发光一样。因此，如果外星人已经发现了我们，他们很有可能不是用可见波长看到的，比如红外线。在红外波段，地球的亮度和太阳比起来差异要小一些。不过，外星人工程师也可能采取其他的搜寻策略。

也许他们在做一些我们的行星猎人经常采用的方法：监视恒星，看它们是否定期地晃动。一颗恒星的周期性晃动暴露了它周围行星的存在。与大多数人的想法不一样，行星不是简单地绕其主星公转，而是和它的主星围绕着它们共同的质心一起转动，行星越大，恒星晃动的幅度就越大，当你分析恒星的光谱时就可以更容易地做出预测。而这颗行星可能太暗淡而无法直接看到。对于搜寻行星的外星人来说，不幸的是地球很小，所以太阳几乎不怎么晃动，这将进一步挑战外星工程师们的技术水平。

*　　*　　*　　*　　*　　*　　*

美国国家航空航天局（NASA）的开普勒望远镜设计，就是为了发现和太阳类似的恒星周围的类地行星，它运用了另一种探测方法，大大增加了系外行星的发现数量。开普勒搜索的是那些总亮度定期略有下降的恒星。在这种情况下，开普勒的视线方向上正好可以看到一颗恒星会变暗一点点，原因是它的一颗行星正好从主星前面经过。不过，用这种方法你看不到行星本身，甚至也看不到恒星表面的任何特征。开普勒只是跟踪了恒星总光度的变化，但已经找到了数以千计的系外行星，包括数以百计的多行星系统。从这些数据中，你还可以了解到系外行星的大小、它们的轨道周期，以及它们与其主星的轨道距离。你也可以对行星质量做出有根据的推测。

在银河系某些位置的恒星看来，地球总是会出现于其视线方向上，当地球从太阳跟前经过时，它会遮挡太阳表面的万分之一，从而使太阳总光度从正常值变暗万分之一。这样外星人就会发现地球的存在，但对地球表面发生的事情则一无所知。

用无线电波（射电波）和微波来侦测地球的存在或许是不错的办法。也许那些监听我们的外星人，有类似于中国贵州省的 500 米口径射电望远镜这样的设备。如果他们有，如果他们调谐到正确的频率，他们肯定会注意到地球——或者更确切地说，他们会注意到我们的现代文明是天空中最"明亮"的无线电波和微波来源之一。我们不仅有传统的广播本身，而且还有电视、手机、微波炉、车库门钥匙、车门钥匙、商用雷达、军用雷达和通信卫星。地球在长波频段中闪耀——壮观的证据表明这里发生了一些不寻常的事情，因为小型岩石行星在自然状态下，几乎不会发出任何无线电波。

因此，如果那些外星监听者把他们自己的射电望远镜指向我们，他们可能会推断我们的行星拥有科技文明。但麻烦的是，他们也可能做出其他解释。也许他们无法区分地球的信号与太阳系中较大行星的信号，因为这些大行星都是无线电波的巨大来源，特别是木星。或许他们会认为我们是一个新型的、奇怪的、无线电密集的行星。或许他们无法区分地球的射电辐射与太阳的辐射，迫使他们断定太阳是一种新型的、奇特的、无线电密集的恒星。

我们地球上天体物理学家就被类似的事件难住过。1967 年英国剑桥大学的安东尼·休伊什（Antony Hewish）和他的团队正在用射电望远镜巡视天空，寻找所有的强射电源时，发现了一个非常奇怪的东西：一个天体具有精确的脉冲，重复的时间间隔略大于一秒。休伊什的研究生贝尔（Jocelyn Bell）是第一个注意到这一点的人。

不久，贝尔的同事们证实，脉冲来自很远的深空。认为这个信号是人为技术发出的想法——也就是在太空里另一种文明发出的信号——是令人难以抗拒的。正如贝尔所说："我们没有证据证明这是一个完全自然的射电辐射源……当时我试图用一种新技术取得博士学位，可一些愚蠢的小绿人竟然选择了我的天线和我的频率来跟我们联系。"然而，几天后，她又发现了来自银河系其他地方的重复信号。贝尔和她的同事们意识到他们发现了一类新的宇宙天体——完全由中子组成的恒星，它旋转的同时发射出射电脉冲。安东尼·休伊什和贝尔明智地将它们命名为"脉冲星"。

事实证明，拦截射电波并不是探听宇宙秘密的唯一方法，还有宇宙化学。对行星大气的化学分析已经成为现代天体物理学的一个活跃领域。你可能猜到了，宇宙化学依赖于光谱学——通过光谱仪分析光。利用光谱学家们的工具和方法，宇宙化学家们可以推断出在一颗系外行星上是否存在生命，不管那种生命是否有感知能力、智慧或科学技术。

这个方法之所以有效，是因为每种元素、每种分子，不管它存在于宇宙的什么地方，都以唯一的方式吸收、发出、反射和散射光。正如前面已经讨论过的，让光通过光谱仪，你会发现可以被称为化学指纹的特征。最明显的指纹特征主要是由环境压力和温度激发的化学物质形成的。在行星大气中，化学指纹非常丰富。如果一个星球上充满了动植物，它的大气层将富含生物标记，也就是生命的光谱证据。无论这种标志物是来源于生物（由某种或所有生命形式产生）、人类活动（由广义的智人物种产生），还是科技（由技术产生），这些证据都将难以隐藏。

除非他们碰巧生来就有内置的光谱传感器，进行太空搜索的外星人需要建造光谱仪来读取我们的"指纹"。但最重要的是，地球必须经过太阳前面（或其他光源前面），让光得以穿过我们的大气层并继续传到外星人那里。这样，地球大气层中的化学成分就能与光相互作用，留下可以观测的印记。

有些分子——氨、二氧化碳、水，在宇宙中到处都有，无论那里是否存在生命。但另一些分子，在有生命存在的环境中会特别多。另一个容易被检测到的生物标志物，是地球上的甲烷含量，其中2/3是由与人类有关的活动产生的，如燃料油生产、水稻种植、污水以及家畜的打嗝和放屁。其余1/3的甲烷来自自然环境，主要是湿地里分解的植被和白蚁的排泄物。不过，在自由氧匮乏的地方，甲烷并不总是需要有生命才能生成。此时此刻，太空生物学家们正在争论火星上微量的甲烷以及土卫六（泰坦）上大量甲烷的确切来源，我们推测那里并没有奶牛和白蚁。

如果外星人在我们绕太阳公转时跟踪地球的夜晚一侧，他们可能会注意到有钠元素出现，它来自大量使用的钠蒸气路灯。然而，最有说服力的证据是我们星球上那些自由飘浮的氧气，它们构成了我们足足 1/5 的大气。

氧——是宇宙中第三丰富的元素，排在氢和氦之后，具有很强的化学活性，并且很容易与氢、碳、氮、硅、硫、铁等原子结合。它甚至也与自己结合。因此，要让氧气含量保持在稳定的状态，一定是氧气释放的速度跟它被消耗的速度一样快。在我们地球这里，氧气的产生可以追溯到生命身上。由植物和许多细菌进行的光合作用，在海洋和大气中产生自由氧。自由氧反过来又能使代谢氧气的生命得以存在，包括我们和动物王国中几乎所有其他生物。

作为我们地球人，我们已经深知我们星球独特的化学指纹的意义。但是，那些来到我们面前的遥远的外星人，将不得不解释他们的发现并检验他们的假设。钠的周期性出现是否一定是来源于科技？自由氧肯定是生物产生的，那么甲烷呢？甲烷的化学性质是不稳定的，有些来自人类活动，但是正如我们所看到的，甲烷也有非生命活动的来源。

如果外星人认为地球的化学特征是生命的确切证据，也许他们会想知道这种生命是否拥有智慧。想必外星人彼此有交流，也许他们也会相信其他的智慧生命也能互相交流。也许那时他们就会决定用射电望远镜监听地球，看看其居民所掌握的电磁波频谱是哪一波段。因此，不管外星人是用化学手段还是用无线电波来探索，他们可能都会得出同样的结论：地球是一个有先进技术的星球，那些技术是由智慧生命形式发展起来的，他们可能会致力于发现宇宙是如何运作的，然后又为个人利益或公众利益而应用那些科学规律。

如果外星人进一步分析地球大气的化学指纹，人类的生物标志物也将包括硫酸、碳酸和硝酸，以及化石燃料燃烧形成的其他成分。如果好奇的外星人碰巧在社会上、文化上和技术上比我们要先进得多，那么他们肯定会把这些生物标记解释为地球上缺乏智慧生命的有力证据。

*　　*　　*　　*　　*　　*　　*

第一颗太阳系外行星是在 1995 年被发现的，而在我写作本书时，统计数字正在上升到 3000 颗，大多数是在银河系里太阳系附近的一小块儿区域里发现的。所以，系外行星的数量应该还有很多。毕竟，我们的星系有超过 1000 亿颗恒星，而已知的宇宙蕴藏着数千亿个星系。

我们对宇宙中的生命的探索，驱动了对系外行星的搜索，其中一些行星在整体性质上与地球相似，虽然细节稍有差异。从目前的数据推测，仅在银河系就有多达 400 亿颗类地行星。将来，它们都是我们的后代可能造访的行星，当然最好是主动选择去访问，而不是迫不得已离开地球。

12

基于宇宙视角的反思
Reflections on the Cosmic Perspective

在人类创建的所有学科中，天文学被公认是而且无疑是最崇高、最有趣、最有用的。因为，通过这门科学所获得的知识，不仅地球之大部分被发现……；而且我们的能力随着它所传达的思想的宏大而扩展，我们的心灵因为超越了低级狭隘的偏见而得到升华。

——

詹姆斯·弗格森，1757[1]

---

1 詹姆斯·弗格森（James Ferguson，1710—1776，英国天文学家），引自《运用艾萨克·牛顿爵士的原理解释天文学，并且使那些没有学过数学的人容易理解》（伦敦，1757）。

早在有人知道宇宙有一个开端之前，在我们知道离地球最近的大星系有 200 万光年之前，在我们知道恒星如何发光或原子是否存在之前，詹姆斯·弗格森对他最喜欢的科学的热情介绍是如此真切。而且他说的话，除了 18 世纪的修辞，听起来就像是昨天写的。

　　但是谁会这样想呢？谁会来欢呼庆祝这个有关生命的宇宙视角？不是移民而来的农场工人，不是血汗工厂的工人，当然也不是在垃圾堆里翻找食物的流浪汉。你需要的是不必为了生存而付出全部时间的那种奢侈，你需要生活在政府重视探索人类在宇宙中的地位的国家，你需要生活在其中的智识追求可以让你做出前沿发现，并且你的发现可以被正常传播的社会。以这些作为标准，工业化国家的大多数公民都做得很好。

　　然而，这种宇宙视角也伴随着隐藏的代价。当我跨越几千千米去旅行，只为了在日全食期间在快速移动的月球阴影里度过一小会儿，有时我会忽视地球。

当我静下心来，思索我们膨胀的宇宙，嵌在不断延伸的四维时空中的众多星系疾速地飞离彼此，有时我会忘记无数行走在这个地球上的人还没有食物和住所，而且其中儿童的比例超乎寻常。

当我凝视那些证明在整个宇宙中存在神秘暗物质和暗能量的数据时，有时我会忘记每一天——地球每自转24小时——都有人以他们所信奉的神灵的名义杀人或者被杀，有些人不以神的名义杀人但以他们需要或想要的政治信条的名义杀人。

当我跟踪小行星、彗星和行星的轨道，它们每一个都是由引力精心策划的宇宙芭蕾舞剧中旋转的舞者，有时我会忘记太多的人的所作所为，他们无视地球大气、海洋和陆地之间微妙的相互作用，而其后果将导致我们的孩子和孩子的孩子付出健康和幸福的代价。

有时我会忘记，掌握权势的那些人很少会尽

他们所能去帮助那些无法自救的人。

我偶尔会忘记这些事情，因为无论世界有多大——在我们的情感上，在我们的思想里，在我们超大的数字天图里——宇宙总是更大的。对有些人来说这是个令人沮丧的想法，但对我来说这是一个获得解放的想法。

想想一个成年人如何看待孩子们认为大不了的创伤：打翻的牛奶、摔坏的玩具、擦伤的膝盖。作为成年人，我们知道孩子对什么是真正的问题一无所知，因为缺乏经验大大地限制了他们作为儿童的观念。孩子们还不知道这个世界不是围着他们转的。

作为成年人，我们是否敢于向自己承认，我们也有一个共同的不成熟的观念？我们是否敢于承认，我们的思想和行为来自一种全世界都围着我们转的执念？表面上不是。然而证据比比皆是。掀开那些种族、民族、宗教、国家和文化冲突的面纱，你会发现人类的自负正在不断膨胀。

现在想象一个世界，其中每个人，特别是有权势和影响力的人，对我们在宇宙中的位置拥有开阔的眼界。如果从这个视角出发，我们的问题就会缩小，或者根本不会出现，我们就可以避免我们的前人因为世俗分歧而屠杀彼此的行为。

*　　　*　　　*　　　*　　　*　　　*　　　*

早在 2000 年 1 月，重建后刚开放的纽约市海登天文馆[1]举办了一场名为《通向宇宙的护照》的太空秀[2]，这个活动带领游客们经历了一场从天文馆直到宇宙边缘的虚拟旅程。在这场秀中，观众观看了地球，然后是太阳系，接着又观看了银河系里的亿万星辰渐渐缩小成穹幕上一个几乎看

1　作者任馆长的天文馆。——译注
2　《通向宇宙的护照》（*Passport to the Universe*）是由安·德鲁扬（Ann Druyan）和斯蒂文·索特（Steven Soter）合写的，他们也是科普纪录片《宇宙：时空之旅》（*Cosmos: A Space-Time Odyssey*）的合著者，该片由作者主持。他们还与卡尔·萨根（Carl Sagan）联手创作了 1980 年的经典纪录片《卡尔·萨根的宇宙》（*Cosmos: A Personal Voyage*）。

不见的小点。

在开幕不到一个月时，我收到了来自常春藤盟校的一位心理学教授的信，他专门研究那些使人自觉渺小的事情。我从来不知道有人竟专攻这样的领域。他说他想对观众们进行一次观影前后的问卷调查，以评估他们在观看节目后的沮丧程度。他写道，《通向宇宙的护照》引发了他最强烈的渺小感和无意义感。

怎么可能呢？每次我看到太空秀（还有我们制作的其他节目），我都觉得自己充满力量和激情。人脑只有 1400 克重，而它产生的思维活动却能让我们找到我们在宇宙中的位置，这让我感到自己很强大。

请允许我指出，是这位教授，而不是我，误读了大自然。他这种毫无道理的自大，首先源于对所谓意义的幻想，另一方面"人是万物之灵长，宇宙之精华"的文化假设也助长了这种自负。

不过我也要为他说句公道话，我们大多数人

都很容易受到人定胜天这类强势思维的影响。我曾经也是这样，直到后来我在生物课上学到"一厘米结肠里的细菌要比这个世界上存在过的人的总数还要多"。这类信息会让你对究竟是谁（或是什么）在实际掌控你我而思虑再三。

从那天起，我开始认为人类并非空间和时间的主人，而是作为一个伟大的宇宙存在链的参与者，与现存的和已灭绝的物种都有直接遗传联系，而且可以追溯到近40亿年前地球上最早的单细胞生命。

我知道你在想什么：我们比细菌更聪明。

毫无疑问，我们比任何曾经在地球上奔跑、爬行或匍匐的其他生物都更聪明。但我们有多聪明呢？我们烹调食物，我们谱写诗歌和音乐，我们从事艺术和科学，我们数学很好。即使你数学不好，你也比最聪明的黑猩猩好得多——它们的遗传特征与我们的差异微乎其微。无论如何，灵长类动物学家永远都找不到一只能做乘除法或三角几何的黑猩猩。

如果我们和我们的猿类近亲之间微小的基因差异，能解释表观上巨大的智力差异，那么智力上的这种差异也许并不那么巨大。

想象一种生命形态，他们的智力之于我们的差异，就像我们之于黑猩猩的一样。对于这样一个物种，我们的最高精神成就将是微不足道的。他们的幼儿不必是在芝麻街学习他们的 ABC，而是在布尔大道学习多变量微积分[1]。我们最复杂的定理，我们最深奥的哲学，我们最有创造力的艺术珍品，只不过是他们的小学生带回家的随堂作业，用来让爸爸妈妈拿冰箱贴贴在冰箱门上展示的东西。这些生物将会研究斯蒂芬·霍金（他在剑桥大学担任的教授讲席曾经由艾萨克·牛顿拥有），因为他比其他的人稍微聪明一点儿。为

1　布尔代数是数学的一个分支，它处理的变量表示为真值或假值，通常由 0 和 1 表示，并且是计算机运行的基础。得名自 18 世纪英国数学家乔治·布尔（George Boole）。

什么？因为他可以在头脑中做理论天体物理学和其他基本计算，但这样的智力水平也就相当于刚从外星人学前班放学回来的小孩子。

如果一个巨大的基因鸿沟将我们和我们在动物王国中最近的亲戚分隔开来，我们就可以理直气壮地赞颂我们的聪明才智。我们可能有资格四处炫耀，认为我们离我们的近亲物种很远且截然不同。但并不存在这样的鸿沟。相反，我们与自然的其余部分是一个整体，我们的位置既不高于也不低于自然，而是属于自然。

需要更多消除自负的例子？对数量、尺度和规模做简单的对比就可以很好地说明问题。

就拿水来说吧。水很平常，也很重要。一个250毫升杯子里的水分子的数目，比世界上所有海洋里的水按杯计算的数目还要多。这一杯水里的分子数目之多，能够匀出1500个分子到世界上的每一杯水中。无可回避的是：你刚才喝的一些水曾流经过苏格拉底、成吉思汗和圣女贞德的肾脏。

空气怎么样呢？也是至关重要的。你每一次呼吸吸入的空气分子数目，比在地球整个大气层里的空气按"一呼吸"计算的数目还要多。这意味着你刚才呼吸的空气曾经通过了拿破仑、贝多芬、林肯和比利小子[1]的肺部。

该说一下宇宙了。宇宙中的恒星数目比任何海滩上的沙粒还多，比地球形成之后经历的秒数还要多，比曾经生活过的所有人写下的文字和发出的声音还要多。

想看过去的全景吗？宇宙的视角将带你去那里。光从太空深处到达地球是需要时间的，所以你看到的天体和现象并不是它们现在的样子，而是它们曾经的样子，几乎能够追溯到时间本身的开端。在这个可推算的范围内，宇宙进化的全景连续不断地展开。

1　19世纪美国西部著名罪犯。——译注

想知道我们是由什么构成的吗？又一次，宇宙视角提供了一个比你的预期更让你震惊的答案。宇宙中各种化学元素是在大质量恒星尤其是其生命结束时发生剧烈爆炸的火焰中锻造出来的，这些元素丰富了它们所在的星系。结果呢？宇宙中四种最常见的活跃元素氢、氧、碳和氮，也是地球生命体中四种最常见的元素，碳更是生物化学的基础。

我们不只是生活在这个宇宙之中，宇宙就存在于我们的身体之中。

*　　　*　　　*　　　*　　　*　　　*　　　*

有说法认为，我们甚至可能不是来自这个地球。当多个独立的研究路线被放在一起考虑时，迫使研究人员重新考虑我们是谁，我们来自哪里。正如我们已经看到的，当一颗大个小行星撞击一颗行星，撞击点周围的区域获得的反冲能量，能把岩石抛入太空。岩石以这种方式可飞往其他行星，并在其表面着陆。还有，微生物的适应能力可以相当强。地球上的极端微生物可以在太空旅行中遇到的温度、压力和辐射范围内生存。如果撞击产生的抛射岩石来自一个具有生命的行星，那么微生物群就会藏在岩石的角落和缝隙中。再有，最近的证据表明，太阳系形成后不久，火星是湿润的，并且可能是适宜生命繁殖的，甚至上面的生命比地球上出现得还要早。

总的来说，这些发现告诉我们，生命可能始于火星，后来才来到地球上播种生命，这一过程被称为"有生源说"。因此，所有的地球人可能——只是可能——是火星人的后裔。

*　　　*　　　*　　　*　　　*　　　*　　　*

几个世纪以来，宇宙的发现一次又一次使我们对我们自身的看法降级。地球在天文学上曾经被认为是独一无二的，直到天文学家得知，地球只是绕太阳运行的又一颗行星。然后我们推测太阳是独一无二的，直到我们得知，夜空中无数恒星其实都是太阳。然后我们认为我们所在的星系即银河系是整个已知宇宙，直到我们确定，天空中的无数模糊天体是其他星系，布满我们已知宇宙的图景。

今天，我们多么容易假设只存在这一个宇宙。然而，现代宇宙学新出现的多种理论，以及对不可能存在任何独一无二的事物的不断重申，要求我们继续包容对我们的独特性期冀的最新冲击：多重宇宙。

*　　*　　*　　*　　*　　*　　*

宇宙视角源自基础知识。但它又不仅仅是你所知道的知识，而是关乎拥有智慧和洞察力把那些知识用于评估我们在宇宙中的位置。它的特征是显而易见的：

宇宙视角来自科学的前沿，但它并不仅仅是科学家独占的。它属于每个人。

宇宙视角是谦逊的。

宇宙视角是精神上的——甚至是救赎的——但不是宗教的。

宇宙视角让我们能够以一种思想同时把握宏观和微观。

宇宙视角使我们的头脑对非凡的想法保持开放，但又不至于使我们脑洞太大以至于容易轻信我们被告知的任何事。

宇宙视角使我们睁开眼睛看宇宙，它不是被设计用于抚育生命的慈爱摇篮，而是一个寒冷、孤独、充满危险的地方，迫使我们重新评估所有人对彼此的价值。

宇宙视角表明地球是一颗尘埃。但它是一颗珍贵的尘埃，目前，它是我们唯一的家园。

宇宙视角在行星、卫星、恒星和星云的图像中发现着美，同时也颂扬着塑造它们的物理定律。

宇宙视角使我们的眼界能够超越我们的环境，让我们超越寻找食物、住所和伴侣的原始需求。

宇宙视角提醒我们在没有空气的太空中，旗帜不会飘扬——这也许是象征着在太空探索中我们不必掺杂进任何狂热的爱国情绪。

宇宙视角不仅包含了我们与地球上所有生命的遗传亲缘关系，而且也珍视我们与在宇宙中任何尚未发现的生命之间的化学亲缘关系，以及我们与宇宙本身的原子亲缘关系。

我们每个人如果至少一周一次——即使不能一天一次——思考在我们面前有什么宇宙真理未被发现，也许就会诞生一位聪明的思想家、一个巧妙的实验或一个充满创新的太空项目。我们可能会进一步思考，那些发现将来有一天会如何改变地球上的生命。

如果没有这样的好奇心，我们就跟那些守着能满足自己所有需要的几十亩地，因而表示没有必要出门冒险的旧时代农夫没有什么区别。然而，如若我们所有的祖先都如此认为，那些农夫就会仍然是用棍子和石头追逐晚餐的穴居人。

在我们短暂停留在这个星球上的这段时间，我们欠我们自己和我们的后代一次探险的机会——部分原因是探索本身的乐趣。但还有一个更高尚的理由：当我们对宇宙的认识停止增长的那一天，我们就有可能面临着倒退到幼童式观点的风险，即我们固执地以为宇宙仍然围绕着我们转。在那个不容乐观的世界里，拥有武器却资源匮乏的人和国家将基于他们"浅陋而狭隘的偏见"采取行动。而那将是人类启蒙的劫难——直到一个充满远见，从而能够再次拥抱而不是畏惧宇宙视角的新文化的兴起。

致　谢

感谢我的来自《博物》(*Natural History*) 杂志的两位文字编辑：爱伦·戈尔登松（Ellen Goldensohn）和艾维斯·朗（Avis Lang），感谢她们这么多年来的孜孜不倦，并力保这些文字完全表达了我的原意。

感谢我的科学编辑，也是我普林斯顿大学的同事兼好友罗伯特·拉普顿（Robert Lupton），在所有重要议题上，他比我懂得更多。

还要感谢贝特西·勒纳（Betsy Lerner），她的建议让我的书稿增色颇多。

给忙碌者的天体物理学

[美] 尼尔·德格拉斯·泰森 著

孙正凡 译

图书在版编目 (CIP) 数据

给忙碌者的天体物理学 / (美) 尼尔·德格拉斯·泰森著；孙正凡译 . —北京：北京联合出版公司 , 2018.7（2024.9 重印）

ISBN 978-7-5596-2132-0

Ⅰ.①给… Ⅱ.①尼…②孙… Ⅲ.①天体物理学—普及读物 Ⅳ.① P14-49

中国版本图书馆CIP数据核字 (2018) 第 100674 号

ASTROPHYSICS FOR
PEOPLE IN A HURRY

By Neil deGrasse Tyson

北京市版权局著作权合同登记号 图字：01-2018-2559 号

选题策划	联合天际·边建强
责任编辑	杨 青 高霁月
特约编辑	边建强
审 校	苟利军
封面设计	@broussaille 私制

出 版	北京联合出版公司 北京市西城区德外大街 83 号楼 9 层 100088
发 行	北京联合天畅文化传播有限公司
印 刷	北京联兴盛业印刷股份有限公司
经 销	新华书店
字 数	120 千字
开 本	787 毫米 × 1092 毫米 1/32 7 印张
版 次	2018 年 7 月第 1 版 2024 年 9 月第 13 次印刷
ISBN	978-7-5596-2132-0
定 价	49.80 元

关注未读好书

客服咨询